生贄
れた俺は、
神に拾われ武を極める
武神伝
BUSHINDEN
I was sacrificed, but I became a disciple of the God and mastered martial arts.

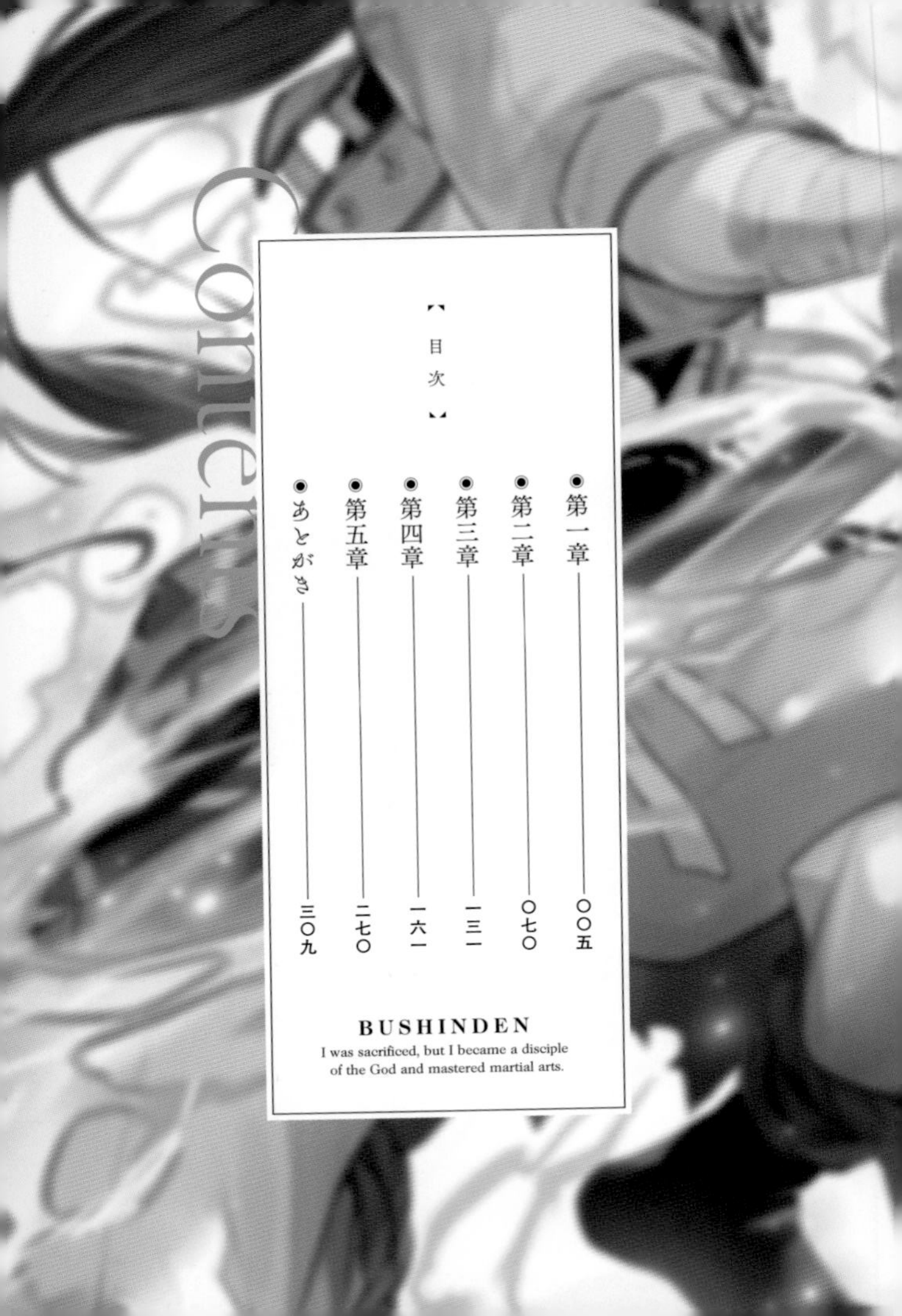

目次

BUSHINDEN

I was sacrificed, but I became a disciple of the God and mastered martial arts.

「────刀真ッ！」

「任せろ────」

リーズの声に、俺は答える。

極限の集中状態に達した俺は、周囲の音を置き去りにした。

そして────。

「────『降神一刀』」

膨大な魔力の塊と化した魔族の男を、一直線に斬り裂く一撃。

この技は【降神一刀流】の最終奥義であり、
まさに神をも降す一太刀だ。
●その一刀は神をも降す

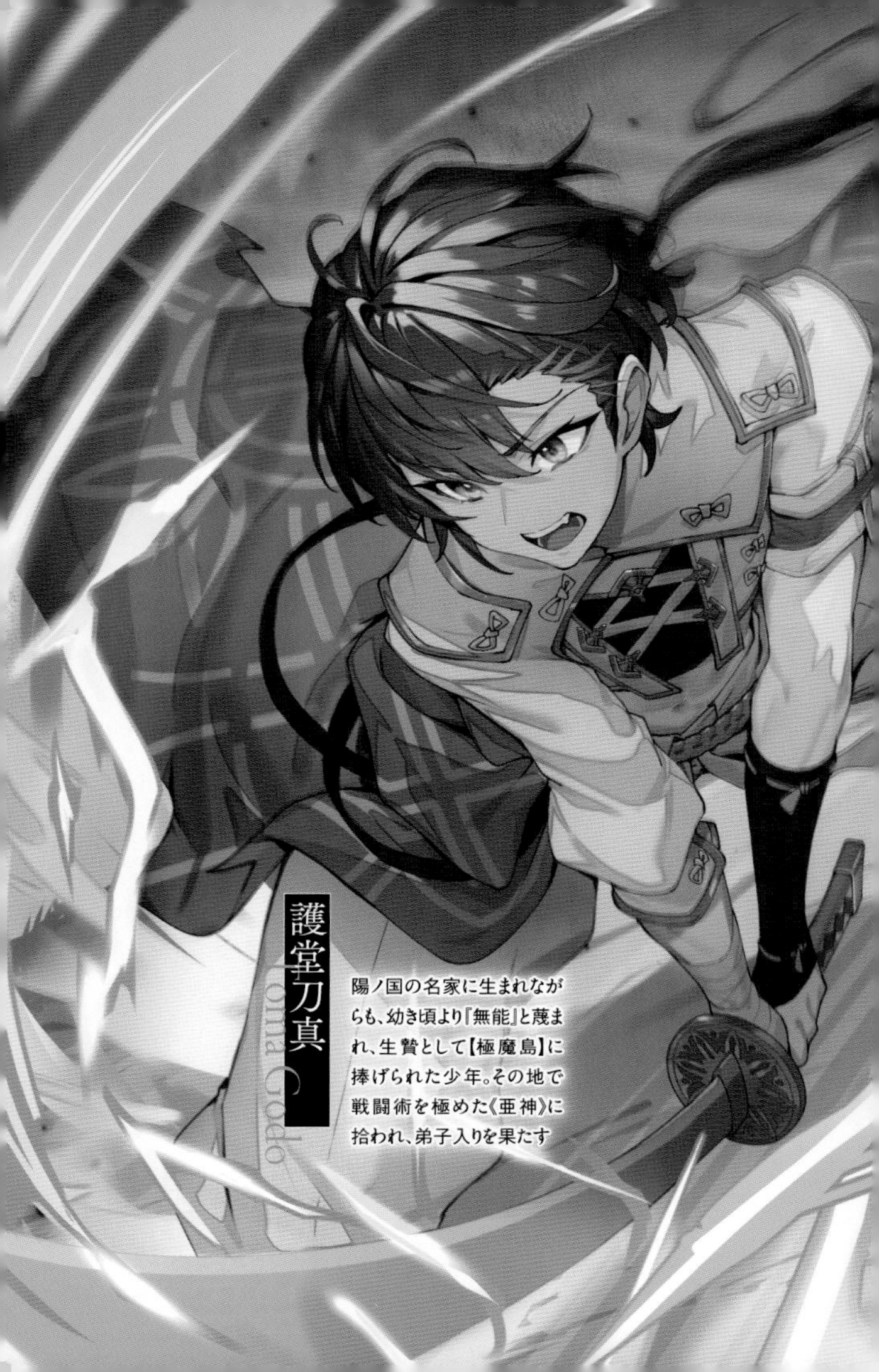
護堂刀真
Toma Godo
陽ノ国の名家に生まれながらも、幼き頃より『無能』と蔑まれ、生贄として【極魔島】に捧げられた少年。その地で戦闘術を極めた《亜神》に拾われ、弟子入りを果たす

武神伝

生贄に捧げられた俺は、神に拾われ武を極める

美紅

ファンタジア文庫

3341

口絵・本文イラスト　かかげ

生贄に捧げられた俺は、
神に拾われ武を極める
武神伝
BUSHINDEN
I was sacrificed, but I became a disciple
of the God and mastered martial arts.

第一章

――ただ、認めてほしかった。

「このっ！　無能が！　護堂家《ごどうけ》の恥さらしめ……！」

俺がどれだけ声を上げても、父上からの暴力は止まらない。

魔力が扱えず、【刀士《とうし》】にとって命ともいえる【命刀《めいとう》】を発現できなかった俺には、居場所なんてどこにもなかった。

「あれ、護堂家の長男よね？　フフ……どこの物乞いかと思ったわ」

「あんなのが長男だなんて……旦那様も不憫《ふびん》だ」

「いやいや、その代わりに刀次《とうじ》様は素晴らしいじゃないか」

「そういえば、旦那様と同じ命刀を発現されたんですよね？　これでもう、名実ともに護堂家の次期当主は刀次様で決まりですねぇ」

誰も俺を認めてくれない。

「あれじゃ、刀士なんて無理だろ。そのうち廃嫡されて、農民にでもなるんじゃねぇか？」

「おい、農民を馬鹿にするなよ？　あんな使えねぇヤツに、農作業ができるわけねぇだろ！」

「そりゃそうか！　なんせ、魔力が使えねぇ欠陥品だもんなぁ！」

街の人々が、俺を嘲笑《あざわら》う。

『──刀真《とうま》。貴方《あなた》は強い子。貴方は私の、誇りよ──』

──母上。

私は決して、強くありません。

どうか不出来な息子を、お許しください──。

＊＊＊

何も変わらぬ朝。

俺は目を覚ますと、いつも通り朝食の『兵糧丸《ひょうろうがん》』を飲み込んだ。

味は最悪なものの、必要な栄養素だけを効率よく吸収できる丸薬である。ただ、一般的にはこれが食事とはとても言えぬだろう。

……思えば、この食事にもすっかり慣れてしまった。

たとえ護堂家の長男であったとしても、出来損ないの俺に食事なんてものは用意されない。

昔は酷《ひど》く落ち込み、その味に何度も泣かされた。

しかし、今となっては味も感じぬ。

ただ生きるため、栄養素を取り入れるだけの作業でしかない。

……逃げられるのであれば、この家を飛び出すべきだろう。

しかし、俺という存在を隠したい父上は、俺が外の世界に触れることを禁じた。

ゆえに、俺が逃げようとしても、この家にいる者にすぐ捕まり、そして苛烈な折檻《せっかん》を受けることになるだろう。

だが、俺はそんな折檻よりも、逃げ出すことで、母上の言葉を否定してしまうことの方が怖かった。

「……」

食事を終え、身支度を整えると、木刀を手にし、修練場へ向かう。
まずいつも通り走り込みを行うと、そのあと体の各部位の鍛錬を行った。
この日課も、何年続けてきただろうか。思い出すこともできない。
体が悲鳴を上げる寸前まで追い込むと、少し休憩したあと、俺は木刀を手にした。
そして、ひたすらに木刀を振り下ろす。
真っすぐ振り上げ、真っすぐ振り下ろす。
何千、何万回と行ってきた動作だ。
本来ならば俺も、護堂家の刀術――【古我流《こがりゅう》】を学び、その修練をしていただろう。
しかし俺は、魔力が扱えぬ出来損ない。
父上から古我流の教えを受けることはできなかった。
それゆえに、俺は自分の力で刀の扱いを身に付ける他なかったのだ。
「……」
何も考えず、ただ木刀と向き合う。
この時間だけが、俺の安らぎだった。
――だが、この日はそうはいかなかった。

「――おい、無能。誰がここを使っていいと言った？」

「っ！　と、刀次……」

「ああ？」

いつもはやって来ない修練場に、刀次が従者を引き連れて来たのである。

すると、刀次は俺の言葉が気に障《さわ》ったようで、声を荒げた。

「刀次、だぁ……？　刀次様だろうが……！」

「がはっ⁉」

俺には刀次の動きが全く見えなかった。

刀次の拳が俺の腹を抉《えぐ》る。

俺はそのあまりの威力に吹き飛ばされると、修練場の壁に激突した。

「がはっ！　ごほっ！」

「おいおい、ちょっと小突いただけじゃねぇか。なあ？」

激しく咳《せ》き込む俺に対し、刀次が嘲笑うように従者たちに言葉をかけると、彼らも笑みを浮かべる。

「まったくです。あの程度のじゃれ合いすらできぬとは……」

「魔力が扱えぬとは、よほど不便なのですねぇ」

「まあ我々には分からぬ苦しみですな」

「何にせよ、無能のために我々が気をつかうのも面倒なことです」


――魔力。


それこそが俺と刀次の間に大きく存在する壁だった。

魔力は万物に宿り、それが体内を駆け巡ることで、大きな力を発揮する。

……いや、魔力は自然と体内を駆け巡るため、刀次たちの身体能力こそ普遍的なものだ。

そう、俺の体には魔力が巡っていなかったのだ。

幼き頃、その原因を探るべく、様々な医者の手で調べられたところ、魔力そのものはこの身に宿っていることが分かった。

しかし、その肝心な魔力が何故《なぜ》か俺の身体《からだ》には巡っていないというのだ。

魔力はあるのに、魔力が流れぬ歪《いびつ》な体。

それゆえ、俺の身体能力はこの陽ノ国《ひのくに》で……否《いな》、この世で最も弱いといえる。

市井《しせい》の子供たちにも負けるだろう。

何故《なぜ》なら通常、子供の頃にはすでに魔力の流れは安定しており、魔力がまともに流れていないのは赤子くらいなものなのだ。

だからこそ、赤子は非常に弱い。

……俺もその赤子と何ら変わらぬ弱さだった。

俺は痛む腹を押さえながら、木刀を拾い上げると、刀次に頭を下げる。

「……俺の言葉が気に障ったのなら、申し訳ない。この場から去ろう」

すぐにその場から立ち去ろうとする俺に対し、刀次は俺が手にしている木刀に目を向けると、笑みを浮かべる。

「ったく……性懲りもなく無駄なことしてんなぁ？　毎日そんな棒切れ振ってて、何か変わったか？」

「……」

何を言われても、俺には言い返すことができない。

だが、そんな俺の態度が再び刀次の機嫌を損ねてしまった。

「テメェ……この俺に対して無視とは、いい度胸だなぁ？」

「っ！」

もう一度殴られるのかと思い、俺がつい身構えると、その様子に刀次たちは声を上げて笑った。

「プッ……ぎゃははは！　お、おいおい、ただ声をかけただけでビビりすぎだっての！」

「と、刀次様。そのように笑っては……ククク」

「どうやら道化としての才能はあるようですなぁ」

「……失礼する」

俺は再度頭を下げ、その場を去ろうとするが、刀次はそれを許さなかった。

「まあ待てよ。笑った詫《わ》びだ。この俺が、お前の腕前を見てやるよ。どうだ？」

「……いや――」

「まさか、断るなんて言わねぇよなぁ⁉」

力のない俺に、断ることはできない。

たとえ無理やり立ち去ろうとしても、この場で無様に痛めつけられるだけだろう。

それに、従者たちも俺が逃げ出さぬよう、いつの間にか周りを取り囲んでいる。

俺が周囲の様子を見ていると、刀次は右手を横に突き出した。

「そら、よぉく見とけよ？　燃え盛れ――――『陽虎《ようこ》』！」

その瞬間、刀次の右手の先に、何か強大な力が発生したかと思うと、そこから一本の刀が出現する。

銀の刃に赤い波紋を持つその刀は、刀次の命刀……陽虎だった。

「コイツが俺の命刀……陽虎だ。どうだ？　綺麗《きれい》だろ？　コイツに斬られれば、その存在は燃え尽きるんだぜ！」

命刀は、まさにこの国を守護する刀士にとって最も重要な力であり、この命刀を手にすることで、刀士はその資格を得る。

というのも、命刀にはそれぞれ強大な能力が宿っているのだ。

だが俺は――――。

「そら、お前も命刀を抜けよ」

「……」

「あ、そっかそっかぁ！　お前、命刀もないんだっけか⁉　ぎゃはははは！」

俺はどれだけ望んでも、命刀を手にすることができなかった。

この国に住まう者たちは、三歳、五歳、七歳の時に皇帝陛下の命刀……『王刀《おうとう》』によって、命刀を発現させる機会を得ることができる。

その儀式に参加する資格は、この国に住む者であれば誰もが有しており、これを【王選《おうせん》祝福《しゅくふく》】と呼んだ。この国では重要な儀式の一つと言える。

とはいえ、基本的に命刀には血筋が大きく関係しており、刀士の家系である子供が命刀を発現することがほとんどなのだが、中には農民の子でありながら命刀を発現させるような特異な者もいた。

そして俺は、刀士の中でも最高位……紫位《しい》を冠する【七大天聖《ななだいてんせい》】の一人、護堂刀厳《ごどうとうげん》の息子であり、護堂家の血を引いている。

にもかかわらず、俺には命刀が発現しなかった。

「本当に勘弁してくれよなぁ？　誇り高き護堂家だぞ？　皇室との所縁《ゆかり》もあり、その皇室を代々守護してきた近衛《このえ》刀士！　そんな由緒《ゆいしょ》ある護堂家に無能が生まれたなんて……俺は恥ずかしくて仕方ねぇよ」

「……」

俺だって、生まれたくてこんな家に生まれたわけじゃない。

俺はただ、自分を認めてくれる人がほしかった。

それだけなのだ。

「ああ、そうか！　お前の母親が無能だったから、お前が生まれたわけだ。そういやぁお前の母親って、昔から体が弱かったって言うしなぁ？　お前と同じで、魔力が使えなかったんじゃねぇの？　無能の子供は無能ってわけだ」

「っ！」

刀次の言葉に、俺は一瞬で頭に血が上った。

俺のことを嘲笑《あざわら》うのはどうでもいい。しかし、母上を馬鹿にすることだけは許せなかった。

「母上のことを……悪く言うなッ！」

俺は耐え切れず飛び出すと、全力で踏み込むと同時に、刀次目掛けて木刀を振り下ろす。

だが、そんな俺を嘲笑いながら、刀次は軽々とそれを避けた。

「おいおい、熱くなるなよ。本当のことを言ってるだけだろぉ？　父上の話じゃ、お前の母親は見た目だけはよかったってよ。ただ、それで手を出した結果がお前だって嘆いてたぜ？　クックック」

「あああああああああ！」

俺はただがむしゃらに木刀を振り、刀次に一撃でも与えられるように足掻《あが》いた。

だが、刀次は俺の攻撃をすべて避けきると、一瞬にして俺の懐《ふところ》に潜り込み、陽虎の柄《つか》頭《がしら》で殴りつけてきた。

「かはっ……」

「確か……お前が修行ごっこを始めて三年だっけか？　毎日毎日飽きもせず、朝から晩まで棒切れを振り続けてるようだが——」

息が詰まり、蹲《うずくま》る俺の顔面を、刀次は容赦なく蹴り飛ばす。

「——お前の努力は無駄なんだよ」

「——」

そして最後に、倒れ伏す俺の顔を踏みつけた。

「これで分かったろ？　お前の一生分の努力なんざ、俺の一日分にすら及ばねぇよ」

そう吐き捨てると、俺で遊ぶことに飽きた刀次は、従者を引き連れ去っていく。

「たまには早起きするのもいいもんだなぁ。運動にすらならなかったが、気持ちがすっきりしたぜ」

「ええ、そうですね」

「あの必死な様子……ますます道化の才に磨きがかかっているのでは？」

「違いねぇ！　それよりも、俺は父上の二の舞にならねぇよう、婚姻相手は慎重に決めねぇとなぁ。ったく……次期当主ってのも楽じゃねぇぜ」

遠ざかっていく笑い声。

それを耳にしながら、俺は何もできなかった。

＊＊＊

刀真が体を引きずりながら、部屋に戻っている頃、刀真たちの父親である刀厳《とうげん》は、一通の書簡に目を通していた。

「……ついに、【極魔島《きょくまとう》】への生贄《いけにえ》の日が……」

――かつて、ここ陽ノ国を建国した初代皇帝は、とある妖魔を討伐した。

だが、その妖魔は怨霊《おんりょう》となり、陽ノ国へ様々な災厄をもたらしたという。

その妖魔の怒りを鎮《しず》めるべく、十年に一度、陽ノ国は妖魔が討たれたとされる島――極魔島に生贄を捧《ささ》げてきたのだ。

ただ、そんな伝説を信じている者は、今となっては皇室以外には誰もいない。

皇室としては、初代皇帝が達成した偉業を示し、国民を安心させるため、伝統的な儀式として、現在に至るまで生贄を捧げ続けてきた。

しかし、世間にはこの伝説を信じていない者が多いため、この儀式は体のいい流刑《るけい》として扱われ、罪人などを送り込むことで上手《うま》くバランスを保ちながら続けられてきたのだ。

何より、妖魔の怨霊こそ信じられていないが、極魔島には七大天聖である刀厳ですら迂《う》闊《かつ》に歩けぬほど、恐ろしい魑魅魍魎《ちみもうりょう》が跋扈《ばっこ》しているのである。

ゆえに、極魔島への生贄は極刑に等しかった。

「ククク……やはり俺は運がいい」

刀厳は書簡を握り潰すと、そのままそれを魔力の炎で燃やし尽くす。

「あの出来損ないを何度この手で殺してやろうかと思ったが……直接手を下せば、多少なりとも醜聞が付きまとう。無論、世間はあの無能など知ったことではないだろうがな。だが、あんな無能を生んだ責任の一端を口に出されてはたまったものではない。だからこそ、ここまで耐えてきたのだ。この方法であれば、ヤツを消すことができ、護堂家の家格も上がる……そうすれば、あの計画も……」

刀厳は暗い笑みを浮かべると、計画に向けての準備を始めるのだった。

＊＊＊

——刀次とのやり取りから数日後。

俺はいつもと変わらず兵糧丸《ひょうろうがん》を食べ、木刀を手に修練を始める……はずだった。

だが今日は、いつもなら誰も近寄らぬはずの、この物置小屋に人がやって来たのである。

「――護堂刀真だな？」

「え？」

小屋の入り口には、物々しい武装をした刀士が数人立っていた。

よく見るとその刀士たちはこの護堂家では見かけぬ者たちで、その鎧《よろい》には皇室を表す、太陽を手にした龍の紋章が描かれている。

「あ、あの、私に何か――」

「貴様を連行する」

「なっ⁉」

俺は抵抗する間もなく一瞬にして刀士たちに拘束されると、そのまま小屋の外に引きずり出された。

「な、何をするんですか！　私が何を――」

「口を開くな」

「がっ⁉」

後頭部を殴られた俺は、必死に意識を繋《つな》ぎとめようとするも、その努力も空《むな》しくそこで気を失った。

＊＊＊

「……うっ……こ、ここは……」

「誰の許しを得て口を開いた！」

「ぐっ⁉」

ようやく目が覚めたと思った瞬間、俺は顔を思いっきり引っ叩《ぱた》かれた。

そこで慌てて頭を回転させ、何とか視線だけ動かして周囲を見渡すと――。

「あれが今回の……」

「確か、護堂家の長男だったはずでは……？」

「……なるほど、考えましたなぁ」

そこは見慣れぬ大きな屋敷の庭らしき場所で、俺は最下段の砂利敷きにて、組み伏せられていた。

それに対して、屋敷の上段と下段には質のいい衣服に身を包んだ無数の大人たちが座っている。

彼らから俺に向けられる視線は、物でも見るかのように冷たいもので、体が強張《こわば》った。

――ここまで人は、無関心になれるのか。

そう実感させられるほど、その視線には何の感情もこもっていない。

しかも、どうやら俺は身柄を押さえられ、無理やり平伏《ひれふ》させられているようだった。

そして、俺の真正面には、御簾《みす》のかかった最も高い位置に悠然と座る一人の男性の姿が。

こ、この方は……。

俺がその姿に目を見開いていると、再び殴られる。

「貴様のような下郎が、許可なく顔を上げるな！」

俺が痛みをこらえていると、よく知る声が聞こえてきた。

「――こちらが、私の愚息である刀真でございます」

「なっ……ち、父上……！」

「貴様……口を開くなと言っているだろう！」

「がはっ！」

容赦なく地面に叩《たた》きつけられる俺。

だが、今の声を間違えるはずがない。

胸を圧迫された状態のため、俺がこれ以上声を上げられないでいると、父上とかの人物
……この国の皇帝は言葉を交わし始めた。

「なるほど。その者を此度《こたび》の生贄に、というのだな?」

「さようでございます」

「しかし、よいのか?」

「もちろんでございます。私は皇帝陛下の忠実なる僕《しもべ》……その忠誠を少しでも示せるのであれば」

「ふむ……」

「それに、そこいらの罪人の血など、贄としては足りぬやもしれませぬ。となれば、この身に流れる貴き血を使うことで、より強い贄としての効果を発揮できることでしょう。無論、皇室の血筋を軽視するわけではございませぬが、たとえ一滴でも、陛下と同じ血が流れている以上、大きな役割を果たすことが可能なはず。この国にとって、大きな意味のある生贄です。こやつにとっても本望でございましょう」

「っ……!」

生贄とは何のことだ。

それに、父上は何の話をしている……!

どれだけ足掻いても、魔力を扱えない俺には、この刀士の腕から逃れることなど不可能だった。

　すると、皇帝陛下は鷹揚《おうよう》に頷《うなず》く。

「そうであるな。元来、怨霊を鎮めるには貴い血による生贄こそ、大きな意味を持つと言われてきた。だが、我々はもちろん、余の忠臣たるそなた等《ら》に、そのような役目を負わせるのは忍びなかった……」

　皇帝陛下はそう言うと、何かに耐えるように目を瞑《つぶ》る。

「しかし、生贄を差し出さねば、怨霊は鎮まらぬ。ゆえに、苦肉の策として、これまで罪人を生贄に捧げてきた。それゆえか近年、星読みでは災厄が訪れるまでの間隔が短くなっていると出ている。このままでは、いずれ怨霊によって、再び世が乱れることとなるだろう……」

「そこで、私は此度の生贄に関しまして、息子を差し出そうと決意したのです」

「うむ。そなたの覚悟、しかと受け取った。護堂の者であれば、遠縁にこの陽龍家《ひりゅうけ》の血も流れておる。まさに生贄としてこれ以上のものはなかろう」

「はっ！」

「よかろう！　では此度の生贄は、護堂家の者とする！　皆の者、準備に取り掛かるがよい！」

『御意！』

皇帝陛下はそう宣言すると、こちらの様子など一切気にすることなく去っていった。

待て。

待ってくれ。

生贄なんて冗談じゃない！

俺は……俺はただ……！

必死に口を動かそうとする中、俺を押さえていた刀士たちが両腕を抱え、俺の胸元をさらけ出すように持ち上げる。

すると、どこからか黒装束を身に纏《まと》った、不気味な男たちが姿を現した。

そんな男たちの手には、真っ赤に熱された焼きごてが握られていた。

「な、何だ、それは……何を……」

「黙れ」

「ぐぅ!?」

顔を強く殴られた俺は、痛みに呻《うめ》くが、次の瞬間……さらなる激痛が俺を襲った。

「っ！　ああああああああああああああああああああああああああ！」

黒装束の男が手にした、焼きごてが俺の胸に押し当てられたのだ。

一瞬にして焼き爛《ただ》れていく肌。

あまりの痛みに絶叫するが、誰も男を止めようとしない。

何故《なぜ》。何故。何故。

どれだけ頭の中で問いかけても、誰も答えてくれない。

少し経《た》つと、男は押し付けていた焼きごてを引き離した。

「ふん、無能にはお似合いの烙印《らくいん》ですなぁ」

「護堂家も考えたものです。これならば、護堂家の面子《メンツ》は保たれ、さらに無能も処理できると……」

「ま、余興程度にはなりましたな」

無様に泣き叫ぶ俺に対して、周囲の者は冷たい視線を向け、嘲笑《あざわら》う。

今すぐにでものたうち回りたい俺だったが、拘束されている身では痛みを逃すことすらできない。

次の瞬間、そんな俺の後頭部に、強い衝撃が走る。

それは、俺を押さえていた刀士による一撃だった。

薄れゆく意識の中、俺は縋《すが》るように父上に視線を向けるが——。

「……」

——父上は俺を、見てすらいなかった。

＊＊＊

「ッ！　父上ッ……！」

俺がその場から飛び起きると、そこは見知らぬ場所だった。

何が起きたのか分からないまま視線を動かすも、そこにはただ海が広がっているだけ。

どうやら俺は浜辺にいるらしく、波が穏やかに砂浜を濡《ぬ》らしていた。

しかし、遠くを見つめると、沖の方は海流がかなり激しいようで、凄《すさ》まじい渦潮があちこちで確認できる。

「ここ、は……」

流れる潮の音に呆然《ぼうぜん》としつつ、不意に手を動かすと、何かに触れた。

「？　っ⁉」

俺の手に触れたのは、人骨だった。

しかも、視線を動かせば、そこら中に同じような骨が大量に転がっている。

「い、一体……ここは……」

そこまで言いかけると、俺は気を失う直前のことを思い出した。

「そうだ……俺は確か、父上に……ぐッ！」

そこまで言いかけた瞬間、胸に激しい痛みが走る。

恐る恐る視線を胸元に向けると、そこには焼き爛れた肌に、深く刻まれた【落日の烙印】が。

この烙印こそ、生贄《いけにえ》の……大罪人の証《あかし》だった。

烙印を目にしたことで、あれだけ不安だった心が、一気に冷えていくのを感じる。

──俺は、見捨てられた。

今までどんな扱いを受けても、いつかは受け入れてもらえる……そう信じて生きてきた。

いや、そう信じないと心が持たなかったのだ。

ただ誰かに認めてもらいたい一心で。

たとえどんなに邪険に扱われても、家族は俺を見捨てない。

心のどこかでそう願い続けてきた。

だが、それは叶《かな》わなかった。

これまで俺を気にも留めなかった父上は——本当に俺を、捨てたのだ。

「あ、ああ……」

俺は強欲だったのだろうか。

誰かに受け入れてほしいと思うのは、傲慢なのだろうか。

「ああああああ」

地位も名誉も、何もいらない。

ほしいものは、俺を受け入れてくれる居場所だけ。

それを求めることは、間違っていたのだろうか。

「ああああああああああああああ！」

俺は溢《あふ》れ出る感情を抑えられず、思いっきり叫んだ。

そして、胸に刻まれた烙印を否定するように、ただ無我夢中で胸をかきむしった。

「ああああああああああああああああああああああああああああ！」

この叫びは、怒りからくるものなのか。
疼《うず》き続ける胸の痛みからか。
俺を否定したすべてに対する憎しみからなのだろうか。
――違う。
ただ、悲しかった。
どうして俺は、皆と違うのだろう。
もし普通の家庭に生まれ、普通の体だったのなら、俺は悲しまずに済んだのだろうか。
分からない。
俺にはもう、何も分からなかった。

＊＊＊

――どれほど時間が経っただろう。
俺がどれだけ悲しもうと、涙は枯れ果てる。
心に、体が追い付かないのだ。
かきむしった胸はボロボロになり、とめどなく血が溢れ出ている。

体が悲しみの許容を超えたところで、俺は父上たちの会話を思い出す。

今、俺がこの場にいるのは、とある儀式のための生贄としてである。

それは十年に一度行われる、この地で討たれた妖魔の怨霊《おんりょう》を鎮《しず》めるための儀式であり、生贄を捧《ささ》げ、陽ノ国に再び平和が訪れることを祝う、祝祭だった。

陽ノ国でも最古の歴史を持つ、重要な行事だ。

その生贄に、俺が選ばれるとは思いもしなかった。

浜辺に転がる大量の人骨も、俺と同じく生贄に捧げられた罪人たちのものだろう。

この島には魍魎《もうりょう》が跋扈《ばっこ》していると言われ、【七大天聖】のような紫位の刀士でなければ海を渡ることすらできないほど、島の周辺は激しい海流で囲まれている。

恐らく俺も、紫位刀士の誰かによってここまで連れてこられ、捨て置かれたのだろう。

もしくは、父上の手で……。

そして陽ノ国では今、また十年の平和を祝い、祭りが行われているはずだ。

「は……はは……俺が死ねば、皆幸せなのか……」

俺が死ねば、陽ノ国は平和であると、誰もが喜ぶのだ。

呆然と海を見つめていると、不意に背後から気配を感じた。

その気配の方に視線を向けると、俺は体を強張《こわば》らせる。

「ッ！」

異様に膨らんだ腹と、その身体《からだ》に不釣り合いな細い腕と足。

落《お》ち窪《くぼ》んだ目には赤い瞳が宿り、大きく裂けた口からは涎《よだれ》が垂れている。

そこには、陽ノ国に生息する妖魔、【堕飢《だき》】がいたのだ。

……俺の血の匂いに、惹《ひ》かれてやって来たのだろう。

元々、刀士と妖魔の実力は六段階に分類されており、一番上から順に、紫位、青位《せいい》、赤《せき》位《い》、黄位《こうい》、白位《はくい》、黒位《こくい》が存在する。

そんな中でこの堕飢は、白位に分類されていた。

白位の妖魔であれば、同じく白位刀士一人で対処可能であるものの……。

「コォオオ」

「カロロ……」

この堕飢たちは、大きな群れをなしていたのだ。

堕飢はその名の通り、常に飢え、堕《お》ちた妖魔。

獲物を見つければ、容赦なく襲い掛かる獰猛《どうもう》な生物である。

ゆえに、本来ならば群れで行動することはありえない妖魔なのだ。

何故ならば、堕飢同士、共食いをするからだ。

そんな堕飢が、群れで行動している。

それはまさに、この極魔島の異常さを表していた。

堕飢が共食いすら避け、群れで動かなければ生き残れない土地。

群れとなった堕飢の危険度は、遥《はる》かに上の位に相当するはずだ。

一体ならばともかく、目にするものすべてを襲い、貪り喰《く》らう堕飢が群れとなって襲い来るとなれば、もはや災害ともいえるだろう。

そしてそんな堕飢に対し、俺は刀士ですらなく、魔力も扱えない赤子同然の無力な存在。

たった一体の堕飢相手ですら勝ち目はないというのに、この堕飢の群れに俺が勝つことなど……万に一つもない。

「カァアアア！」

「……」

群れの内、一体の堕飢が、勢いよく飛びかかって来た。

その様子を俺は、無感情に眺める。

――どうせ俺は、誰にも必要とされていない。

それならここで、死んだ方がまだ誰かの役に立てるだろう。

もう、疲れた。

何かに期待することも。
何かに応えようとすることも。
ここですべてを終わらせ、俺も母上の元へ――――。
そう、思っていた。

『――刀真。ごめんね……私のせいで、ごめんね……』

「ッ！」
俺は目を見開くと、無様に転がりながらも堕飢の攻撃を避ける。
幸い、堕飢は真っすぐに飛びかかって来たので、こんな俺でも避けることができた。
さっきまで無気力だった俺が、いきなり動いたことで、堕飢たちは微《かす》かに驚く。
死を受け入れる寸前、母の言葉が浮かんだのだ。
俺は……まだ死ねない。
死にたくない……！
母上のせい、だと？
そんなこと、あるはずがない！

──元々体の弱かった母は、俺が五歳の頃、体調を崩してそのまま帰らぬ人となった。

当時、すでに魔力が扱えず、周囲から蔑まれていた俺を、母上はいつも受け入れてくれた。

俺のことを、常に護《まも》ってくれたのだ。

……そして、いつも俺に謝っていた。

こんな体に生んでしまったことを。

──違う。

母上は悪くない。

悪いのは、俺が魔力を扱えないことだ。命刀を発現できないことなんだ……！

どれだけ否定しても、母上は自分を責めた。

確かに、誰にも認められないことは辛《つら》い。苦しい。

だが、母上の子供であることは……俺にとっての誇りなのだ。

もしここで俺が死んでしまえば、俺は母上の悔恨を認めることになる。

それだけは絶対に嫌だ……！

堕飢からの攻撃を避けた俺は、砂浜に転がる人骨を手にすると、構えをとる。

「俺は、最後まで生きてやる……！　母上が誇れるよう……俺が母上のことを証明してみせる！　だから……俺の邪魔をするなああああああああああ！」

俺の全力の咆哮《ほうこう》に、堕飢たちは一瞬気圧《けお》された。

しかし、すぐに正気に返ると、先ほどとは打って変わって、獰猛な牙をむく。

そして、より確実に俺を仕留めるべく、全力で踏み込み、接近してきた。

その速度は、刀次のそれと何ら遜色なく、俺は一瞬で距離を詰められると、そのまま肩に噛《か》みつかれる。

「があああああっ！」

深く抉《えぐ》り込む堕飢の牙。

その痛みに絶叫するも、俺は歯を食いしばり、全力で堕飢の顔面を殴りつけた。

「ギャッ⁉」

ひ弱な俺でも、一瞬だけ堕飢を怯《ひる》ませることに成功する。

だが、その拍子に堕飢は俺の肩を食い千切った。

「うぐッ！」

「キィイイヤアアア！」

耳を突き刺すような甲高い歓声を上げた堕飢は嬉《うれ》しそうに俺の肩肉を貪った。

その様子を見ていた他の堕飢たちもそれに触発され、一斉に襲い掛かって来る。

「うがあああああああ！」

ただ、俺は生き残ることだけ考え、手にした骨を振り回した。

しかし、前に刀次と戦った時と同じように、俺の攻撃は容易《たやす》く避けられ、今度は腕、腹、足など、身体中に噛みつかれた。

「ま、まだ……」

「クルアアア」

肉を食い千切る堕飢たちを相手に、全力を振り絞りながら戦おうとすると、俺の肩を食い千切った堕飢に押し倒された。

そのまま俺の顔を覗《のぞ》き込んだ堕飢は邪悪な笑みを浮かべる。

そして、その堕飢は俺の首に噛みついた。

どくどくと流れ出ていく血液。

意識はどんどん遠のき、このまま俺は死んでいくだろう。

それでも……。

「俺は……死な……ない……」

無意識にそう呟《つぶや》いた瞬間だった。

「――ほっほっほ。こりゃあ凄《すさ》まじい生命力じゃのぉ」

薄れゆく意識の中、俺の首に噛みついていた堕飢の頭が、突然消し飛んだ。

それを皮切りに、俺の体に噛みついていた堕飢たちも、次々と殲滅《せんめつ》されていく。

気づけば俺の体は、堕飢の群れから解放されていた。

「はてさて……助けたはいいが、どうしたもんかのぉ……」

そんな言葉を最後に、俺の意識は完全に沈むのだった。

＊＊＊

――思えば、長い時を過ごしたものだ。

神の領域に至り、俗世を離れ、修行を重ねたことで、儂《わし》の【覇天拳《はてんけん》】にはさらに磨きがかかった。

だが、終わりは必ず訪れる。

亜神《あじん》ですら、いつかは死ぬのだ。

本来、亜神は自身の領域から出ることを好まない。

それは神に至ったがゆえに、俗世の醜悪さに嫌気がさし、外の世界への興味を失っていくからだ。

だからこそ、己《おの》が領域に引きこもり、それぞれの亜神がそれぞれの道を極めていく。

中には俗世に降り立ち、まさに神のごとき振る舞いで民衆を率いる変わり者の亜神もいる。

ただ、そんな者はごく一部である。

ほとんどの亜神が自分の道を極め、死んでゆく。

儂も医学を極めるため、あらゆる薬草と人体の仕組みをこの亜神である身を使って調べ上げ、また、独自の拳法【覇天拳】を極めるべく、何百年という長い時間をかけて多様な型をつくり上げ、あらゆる魔物を倒してきた。

他の亜神たちも似たようなものじゃろう。

それが当然であり、儂もそうだと思っていた。

しかし、自身の死を悟ったことで、その考えにふと疑問が生まれた。

……儂は本当にこのままでいいのだろうかと。

何か、大切なものを見落としているのではないか。

それを確かめるため、儂は死ぬ前に己が生きた世界を見て回ることにしたのだ。

――そこには、その土地土地で必死に生き抜く、民衆の姿があった。

儂らが醜悪だと断じた俗世は、その短い時を鮮烈に生き抜く人々で溢《あふ》れていた。

もちろん、醜悪な面は色濃く残っている。

だが、この世は醜悪なだけではなかった。

貧しいながらも手を取り合い、刹那の時間を大切に生き抜く者たちがそこにいたのだ。

それは、儂が遥か昔に失ったもの。

儂が切り捨てた、美しきもの。

ああ……儂は、こんなにも美しき世界を、自らの手で切り捨てていたのか。

それはどれだけ勿体《もったい》ないことだったのだろう。

……どれだけ悔やんでも、儂の時間は戻らない。

ならばせめて、この瞬間を目に焼き付けよう。

こうして世界を巡っていた儂は、とある島国にたどり着いた。

亜神に至る前、このような国を知らなかった儂にとって、そこは未知の国じゃった。

そして、儂はそこで不思議な島を見つけた。


「何じゃ？　この島は……」


島の中心部に、妙な結界が張られているのだ。

その結界は、亜神である儂ですら通ることができない。

島全体を覆っているのではなく、島の中心部というごく狭い領域に結界が張られているのだ。

ひとまず儂は、結界の上空からその様子を観察した。

「これは……とんでもなく強力な結界じゃのう。亜神である儂ですら通れぬとは……」

観察を続けたところ、この結界は太古の……それこそ、『神』の死から間もない、神代の頃の亜神が施したものだと分かった。

神代の亜神と、儂らのような現代の亜神では、持つ力が大きく異なる。

それだけ神代は神秘が色濃く残っていた時代なのだ。

「結界を解除するには……なるほど。特定の血脈を持つ者のみを通すのか……原理が分かりやすい分、強力じゃ。文字通り、この結界を張った者の定めた血脈を持つ者以外、通ることもできんのぅ。しかも、結界の中を見通すことすら許さぬか。ここまで徹底的じゃと、何が隠されておるのか気になるが……少なくとも、何かが封印されているわけではなさそうじゃ」

どういった血脈なのかは分からない。

しかし、ここまで強固な結界を展開している以上、何か理由があるのは確かだろう。外からの侵入を阻《はば》む以外にも目的があるようだが、それが何なのか儂には分からなかった。

どうせならこの結界をより詳しく調べたいところだったが、残念ながら儂に残された時間はあとわずか。

そんな中、この地に付きっ切りになり、儂の残りの人生を費やすのもな……。

その上、島の様子をざっと見てみたが……この島には中々に強力な魔物が多い。この魔物どもを一人で相手しながら結界を調べるのは簡単なことではないだろう。

もっと早くから世界を見て回るべきじゃったと、微《かす》かな心残りが生まれたところで……

彼を見つけた。

歳《とし》にして十くらいに見えるその少年は、何やら醜悪な魔物の群れに襲われていたのだ。

その魔物自体、儂は初めて目にしたが、儂にとっては何の脅威でもない。

しかし、今その魔物と戦っている少年にとっては違うだろう。

ただ、その少年は生を諦めておるのか、魔物の攻撃を眺めるだけだった。

……はぁ。

その日を必死に生きる者もいれば、あのように生を諦める者もおるのか。

必死に抗《あらが》うのであれば、助けてやらんこともなかったが、はなから生を諦めている者に手を貸すほど儂も暇ではない。

儂がその場から立ち去ろうとした瞬間……強烈な生命力の波動を感じた。

思わずその方向に視線を向けると、そこには先ほどとは打って変わり、人骨を手にした少年の姿が。

先ほどまで生を諦めていたとは思えないほどに、目をみはるほど生命力を漲《みなぎ》らせ、何が何でも生き抜くという生への執着が、その少年からは感じ取れた。

そして、魔物と少年の戦いが始まる。

だが、それは戦いとは呼べぬほど一方的なものだった。

魔物に全身を噛《か》みつかれ、今まさに息の根を止められようとしている中、少年はその状況でも生を諦めない。

死を目前にしながらも、生きることを確信しているのだ。

——面白い。

「——ほっほっほ。こりゃあ凄まじい生命力じゃのぉ」

儂がそう思った時にはもう、己の拳を振るい、少年を助けているのだった。

＊＊＊

俺は、徐々に意識が覚醒するのを感じつつ、瞼《まぶた》を開ける。

「うっ……あ……」

「目が覚めたかの」

「！」

すると、先ほど気を失う直前に耳にした声が聞こえてきた。

声の方に視線を向けると、そこには穏やかな笑みを浮かべる一人の老人が。

「どうじゃ？　体の調子は」

「体……そ、そうだ！　俺っ……！」

そこまで言いかけて、俺は自分の体が完全に回復してることに気づく。

そ、そんな馬鹿な。

確かに俺は、堕飢に体を喰《く》われた。

だがどれだけ確かめても、体には傷一つ存在していない。

それどころか、俺がかきむしった胸元も、烙印《らくいん》すら綺麗《きれい》に消え、元の状態に戻っていた。

しかし、俺の着ていた服は堕飢による襲撃を物語っており、ボロボロになっている。

呆然《ぼうぜん》と自分の体を眺めていると、ご老人は満足そうに頷《うなず》く。

「うむ。久しぶりに治療術を行ったが、儂もまだまだ現役じゃのう」

「あっ……た、大変失礼いたしました！」

自分が目の前のご老人の手によって救われたことを思い出し、すぐさま感謝した。

「こ、この度は老師様のおかげで救われました。本当にありがとうございます……！」

「あー、よいよい。そう畏《かしこ》まるな。儂はただ、偶然お主を見つけただけじゃよ」

「は、はあ……あっ！　と、ところで堕飢は⁉」

「堕飢？　ああ、あの魔物どもであれば、儂が倒しておいたぞ。まあ少々加減を間違えて、消し飛ばしてしもうたが……」

「け、消し飛ばした……」

やはり、俺が気を失う前に目にした光景は、この老人によるものだったのだろう。

このお方……ただ者ではない。

まず、ここは紫位刀士ほどの実力者でなければ到達できない極魔島だ。普通のご老人が足を踏み入れることなど不可能である。

そこにふらっと現れ、一瞬にして堕飢の大群を殲滅《せんめつ》してみせた。

本来、そこまでの実力があれば、どれだけ気配を隠そうとも、体から溢れ出る気配は相当なものになるだろう。

しかし、目の前のご老人からは決して大きな気配が感じとれない。

それどころか、本当に存在しているのかさえ不安になるほど、気配が希薄なのだ。

ただ、これらすべての事象を満たす存在を、俺は一つだけ知っている。

「そ、その……亜神《あじん》様、でしょうか……？」

「ほう？　その歳で亜神を知っておるのか」

──亜神。

それは人間でありながら何かを極め、神の領域に足を踏み入れた者たちを指し示す言葉だ。

俺も昔、陽ノ国に関する歴史書を読む中でその言葉を知ったのだが、世間的にはあまり有名ではない。

というのも、亜神は基本的に世俗から離れ、それぞれの領域に引きこもってしまうからだ。

ただ、実は陽ノ国の初代皇帝も亜神になられたのではないかと言われている。

俺の問いに対して楽しそうに笑うご老人を見て、それは確信に変わった。

「ま、まさか亜神様に助けていただけるとは……」

「だから、そう畏まらんでもよいと言っている。儂《わし》がお主を助けたのも、単なる気まぐれじゃしな。それに、神などと呼ばれておるが、亜神なぞただの変人どもの集まりじゃぞ?」

「そ、そうなのですか?」

俺にはそう答えることしかできない。

たとえご老人が他の亜神様を変人と仰《おっしゃ》っても、俺にとってみれば、雲の上の方々であることに変わりないのだから。

するど、亜神様は俺に訊《たず》ねる。

「それで、お主はこんな場所で何をしておったのじゃ?」

「あ……」

亜神様からの問いに、俺はつい表情を歪《ゆが》めた。

本当は人様にお話しするような、気分のいい話ではない。

それは俺が話すという意味でもそうだが、何より俺の話を聞いたところで面白くもないだろうと考えたからだ。

しかし、亜神様は俺の恩人である。

「その……あまり面白い話ではないと思いますが、構いませんか?」

「別に構わんよ」

亜神様が頷いたのを確認して、俺は自分のことを語った。

この場所に来るまでの経緯を。

最初は簡単にまとめて話すつもりだったが、気づけば俺は、亜神様にすべてを話していた。

ここまでの人生を語っていたのだ。

もしかしたら俺は、誰かに聞いてもらいたかったのだろう。

母上が亡《な》くなってから、俺の話を聞いてくれる人などいなかったから。

だが、それはあくまで俺の感情である。

こんな話を聞かされたところで、亜神様も困るはずだ。

「す、すみません……もっと簡潔にお話しできれば……」

「いや、よいよい。しかし、そうか……なるほどのぉ……どうりでお主の体に、妙な術がかけられておったんじゃな」

「え?」

亜神様の言葉に、俺が目を見開くと、亜神様は眉を顰《ひそ》める。

「……お主につけられた烙印には、追跡の術と落命の術が刻まれておった」

「つ、追跡?」

「そうじゃ。烙印を押された者の位置を追跡し、さらに烙印を持つ者が死んだかどうかを感知できる術じゃ。つまり、お主が逃げ出さぬよう……そして、確実に死ぬよう、この術をかけたんじゃろうな。まあその術も、傷を治す時に解除しておいたぞ。その代わり、この術をかけた者たちにはもう、お主が死んだと伝わっているじゃろうが」

俺は亜神様の言葉に、何も言えなかった。

そう、か……父上たちは、万が一俺が生き延びた場合を想定して、そんな術を仕掛けていたんだな……。

悲しい気持ちも湧き上がるが、それ以上に今の俺には虚無感が何よりも強く残った。

「……重ね重ね、ありがとうございます」

「よい。儂としても、お主の話は胸糞《むなくそ》が悪いからのぅ」

亜神様はその立派な髭《ひげ》に手を当てながら、何やら思案する。

そして、大きなため息を一つ吐《つ》いた。

「はぁ……お主、歳は？」

「あ……じゅ、十歳です」

「まだまだ小童《こわっぱ》じゃのぅ。それをこんな場所に……これだから人間は嫌なんじゃ」

心底うんざりした様子で、亜神様はそう呟《つぶや》いた。

すると、今度は亜神様がご自身のことについて語ってくださった。

「儂はのう、そろそろ天寿が近くてのぅ。死ぬ前に一度、世界を見て回ろうと思ったんじゃ」

「なっ……あ、亜神様が死ぬ⁉」

それは俺にとって、大きな衝撃だった。

なんせ、亜神様は神の領域に足を踏み入れたお方なのだ。

そんなお方が普通の人間と同じように天寿を全うし、亡くなるというのが信じられなかった。

そんな俺の反応を見て、亜神様は笑った。

「何を言っておる。儂だって元々は人間じゃ。確かに亜神に至った際、人の肉体は捨て、新たな肉体を手に入れた。とはいえ、万物には終わりが存在する。亜神の肉体にもまた、終わりがあるのじゃよ」

「な、なるほど……」

「とはいえ、千年は生きておるからの。儂としては、もう十分生きた」

まさか、亜神様が千を超える年月を生きているとは思いもよらなかった。

しかし、考えてみれば納得できる話である。

もし亜神に寿命がないのであれば、この世は亜神だらけになっているだろう。

「それで、お主はどうするつもりじゃ？」

「え？」

予想外の言葉に俺がつい聞き返してしまうと、亜神様は穏やかに続けた。

「お主はこの地で生贄《いけにえ》にされることを望んでおらんのじゃろう？　それならば、儂が故郷まで連れ帰ってやってもよいぞ」

「それは……」

確かに亜神様であれば、この島から脱出するのは簡単だろう。

だが……。

「……帰ったところで、私には居場所がありませんから。何より、亜神様の仰っていた術が解かれているものの、また故郷に戻って見つかれば、さらに酷《ひど》い仕打ちが待っているでしょう。他の土地に向かうにしても、私のような力のない人間では、生きていくことは難しいでしょうし……」

「ふむ……それならば、お主はどうしたいんじゃ？」

俺は……どうしたいのだろう。

分からない。

今の俺には、何をするべきなのかも、何がしたいのかも、分からなかった。

具体的な考えは何もない。

ただ、それでも一つだけ言えるのは――――。

母上に誇れるように。母上が間違っていないことを証明するために。

ただ、生きていたかった。

「生きたい、です」

そんな曖昧な答えを告げると、亜神様は笑った。

「生きたい、か。よい答えじゃな」

「え？」

「これも儂が死ぬ前の、最後の大仕事じゃな」

呆然《ぼうぜん》とする俺に対し、亜神様は立ち上がる。

「少年よ。名は何と言う？」

「ご、護堂刀真です」

「うむ、刀真か。では刀真よ――――」

亜神様は俺を真っすぐ見つめ、言い放つ。

「――――儂の弟子となれ」

――俺の運命が、動き出した。

「わ、私が……亜神様の弟子、ですか……⁉」

その信じられない言葉に、俺はつい聞き返す。

すると、亜神様は鷹揚《おうよう》に頷《うなず》いた。

「そうじゃ。先ほども言ったが、儂は死ぬ前に世界を見て回った。その中で、儂は自分が見落としてきた世界の素晴らしさに気づいたんじゃ。それと同時に、もはや儂と世界の繋《つな》がりがないことにも……」

「せ、世界との繋がり……？」

「亜神はごく一部を除けば、皆基本的に己《おの》が領域に閉じこもっておる。そのせいで、世俗との繋がりは完全に断たれるのじゃ。それに、儂らは亜神になる前から、それぞれの道を極めようとしてきた者たちじゃ。そのため、人間であった頃から世俗との繋がりは希薄だったんじゃよ」

「は、はぁ……」

「つまり、儂が生きた証《あかし》は、この世界に何も残らんのだ」

「あ……」

俺はようやく亜神様の言ってることが分かった。

亜神様は少し寂しそうな表情を浮かべる。

「……前はそれでもよいと思っておったんじゃ。しかし、死ぬ前に世界を見て回ったことで、儂《わし》はこんな素晴らしい世界との繋がりを切ってしまっていたのかと、そう思った。そして、その素晴らしい世界には、儂の生きた証は何も残らない。この肉体が滅び、消えれば、誰も儂のことなど覚えておらんじゃろうしの……」

「……」

「そこで、お主じゃ」

「わ、私が？」

「ああ。儂はまさに生涯をかけて、この拳――【覇天拳】を磨いてきた。言ってみれば、この覇天拳こそ、儂が生きた証である。ゆえに、この覇天拳を伝承することで、儂はこの世界との繋がりを保とうと思うんじゃ」

「そ、その伝承が……」

俺が恐る恐る訊《き》くと、亜神様は再度力強く頷いた。

確かに俺は生き抜くための力がほしい。それは間違いない。

そういう意味では、亜神様が持つお力を伝授していただけるのであれば、これ以上の話はないだろう。

だが――――。

「……私なんかには、もったいないです」

「む？」

「話しましたよね？　私は魔力が扱えぬ欠陥品。このような体では、亜神様の武術は
……」

俺が歯噛《はが》みしていると、亜神様は穏やかに笑った。

「そのことなら心配するでない。お主の魔力もどうにかなる」

「え⁉」

それは、俺にとって、何よりも望んでいたこと。

ただ、そう簡単に信じられる話ではなかった。

「ど、どうにかって……この体が治るとでも言うんですか⁉」

「ああ、治るとも」

簡単に言ってのける亜神様に対し、俺は呆然とした。

そんな簡単に言い放つなんて、本来なら腸《はらわた》が煮えくり返っていただろう。

俺がこれまでの人生をどんな気持ちで過ごしてきたのか、何も分かっていない。

しかし、それは普通の人間に限った話である。

もしかしたら、亜神様なら……。

そんな藁《わら》にも縋《すが》る思いでいると、亜神様は険しい表情を浮かべた。

「じゃが、それにはお主の想像を絶する苦痛が伴うじゃろう」

「それは……どういうことでしょうか？」

思わずそう訊くと、亜神様は俺の背中に手を当てた。

「ふむ……お主の体を治癒した時も思ったが、誠に不幸じゃのう」

「不幸……？」

「そうじゃ。……お主は【天武体《てんぶたい》】というものを知っておるか？」

「い、いえ」

「天武体とは、すなわち武術に最も適した理想的な体のことを指す。先天的にこの肉体を持っている者もいれば、鍛錬で後天的に獲得できる者もいるのぅ」

「はあ……」

「そんな天武体とは別に【天魔体《てんまたい》】というものが存在するんじゃ。これはまさに、魔力を扱う上で最も理想的な体のことを指す。魔力量が多く、体内を巡る魔力の流れも豊かで、普通の人間が使う魔法より強力な魔法を扱えるのが特徴じゃ。ちなみに、天武体を持つ者はまだある程度は存在するが、天魔体を持つ者は非常に少ない」

「その……それが私の体とどう関係しているんでしょうか？」

「お主が、まさに天魔体なんじゃよ」

「なっ⁉」

「しかも、お主は天武体でもある」

「ええっ⁉」

まさかの言葉に、俺は開いた口が塞がらなかった。

「見たところ、天武体に関しては後天的なものじゃな。非常に効率よく栄養素を取り入れながら、体を鍛えた結果じゃろう」

「あ……」

それはまさに、俺が毎日食事として食べていた兵糧丸《ひょうろうがん》と、日々の鍛錬のことだろう。

すると、俺の反応を見て、亜神様が笑う。

「どうやら心当たりがあるみたいじゃな」

「は、はい。その……ずっと食事は兵糧丸のみで、毎日鍛錬を続けてきましたから……」

刀次には否定された俺の鍛錬。

しかも、ただの栄養補給でしかなかった兵糧丸だけの食事が、結果的に俺の鍛錬を支えてくれていたとは……。

元々、あの兵糧丸を食べ始めたのは、父上や家の者が俺の食事を作らなくなったことが切っ掛けだった。

自分で食事を作ろうにも、家に近づくことさえ許されていなかった俺は、台所を借りることもできず、あの物置小屋で一人で過ごしてきたのである。

幸い、兵糧丸だけは食べることが許されたようで、物置小屋に元々置かれていたそれを、毎日食べて生きてきた。

それが、こんなことになるとは……。

だが、まだ分からないことがある。

「その、天武体については理解しましたが、天魔体っていうのは本当なのでしょうか……」

それだけは未《いま》だに信じられなかった。

なんせ、俺は魔力が扱えないのだ。

亜神様の話とはまるで違う。

すると、亜神様は険しい表情で続ける。

「まさに、そこが問題じゃ。お主の体は天魔体……しかし、不完全なのじゃよ」

「不完全？」

「うむ。魔力は心臓から送り出され、魔脈《まみゃく》という器官を通って全身に巡る。体の細部まで巡らされた魔脈から供給される魔力が、筋肉や神経、そして細胞に作用することで、大きな力を発揮できるんじゃ。これが、まだ魔脈の未熟な赤子が弱い理由でもある。……先ほど、天魔体を持つ者は少ないと言ったな？」

「は、はい」

「それは、天魔体特有の魔力量や全身を駆け巡る魔力の圧に、耐えられる子が少ないからじゃ。この魔力の激流に完全に適応できた赤子だけが、天魔体としての力を得る」

「！」

「そして、お主は天魔体に相応《ふさわ》しき魔力を持っていながら、それを巡らせることに適した魔脈を持っていないのじゃ」

「で、ですが、私はこうして生きていますよ……？」

「そこがお主の特異なところじゃ。診たところ、お主の魔脈は、恐ろしく硬く、狭い。本来の天魔体の魔脈は、柔軟かつ強靱《きょうじん》なもの。天魔体の心臓から押し出される魔力は、強靱な魔脈でなければ簡単に破裂させてしまうからのう。しかし、お主の場合は魔脈が狭く硬いがゆえに、どれだけ強く心臓から魔力が押し出されても、体に行き渡る魔力の量は極わずか。結果的に、魔力が流れていないも同じなのじゃ。これこそが、お主の天魔体が不完全であるということじゃよ」

「そんな……」

「不幸中の幸いなのが、魔脈が硬かったことじゃのう。もし魔脈が狭いだけならば、己の魔力の流れに耐え切れず、魔脈が破裂し、体調を崩すことになる。そして最後には、己の魔力で殺されるのじゃ」

「それって……！」

俺の脳裏に、母上の姿がよぎった。

母上は、何故《なぜ》か昔から体が弱かったらしい。

どんな名医に診てもらっても、その理由は不明。

そして最後には、帰らぬ人となった。

「気づいたと思うが、お主の母親も同じく不完全な天魔体だったからこそ、亡《な》くなったのじゃろう。……お主を産んだことを考えると、母親もある程度は耐えていたようじゃが……赤子のうちに完全に適応できん限り、寿命は短くなってしまう。そして話を聞く限り、お主の母親は特に戦いに身を置く者ではなかったのじゃろう？」

「……はい」

「そこがお主と違う部分じゃ。お主は戦うために体を鍛えた結果、無意識のうちに魔脈を硬くするという方法で、その身を守ってきたんじゃろう。とはいえ、それにも限界がある」

「……」

俺の表情を見て、亜神様は不憫《ふびん》そうな表情を浮かべた。

「……ともかく、お主の問題は魔脈にあるわけじゃが……儂がお主の魔力に干渉し、魔力の流れを補助する。そして、その流れを加速させ、硬く固まったお主の魔脈にぶつけることで、無理やりこじ開け、膨大な量の魔力を貫き通すことができれば、お主の魔力は完全なものになるだろう」

「それで……私の体は治るのですか……？」

話を聞く限り、たとえ魔脈を開通させたとしても、魔力の勢いに耐えられる魔脈になるわけじゃない。

「もちろん、ただ開通させればいいというものではない。実際にはお主の魔脈を開通させつつ、激しい魔力の流れに耐えられるよう、お主の魔脈に儂の魔力を浸透させながら、強靱さを獲得させる必要がある。ただ、最初にも伝えた通り、それには想像を絶する苦痛が伴うはずじゃ。その痛みで死ぬこともあるじゃろう。さて……どうする？」

亜神様の言葉が本当なのであれば、俺はその苦痛を乗り越えることができた時、魔力が扱えるようになるはずだ。

しかし、そのためには亜神様の言葉通り、死を覚悟するほどの痛みに耐えるしかないだろう。

でも……。

「……よいのか？」

再度、確認するように訊《き》いてくださる亜神様。

だが、俺の思いは決まっていた。

「お願いします」

「大丈夫です。確かに、その方法がとても危険で、とてつもない苦痛が伴うとしても……それよりも、心の痛みの方が辛《つら》いのです」

俺にとって、体の痛みは耐えられるものだ。

無能と嘲笑されること。

大切な母上が侮辱されること。

不要と断じられ、捨てられること。

これらすべての原因は、俺が弱いから。

俺には、自分が弱いことこそ、何よりも耐えられないことなのだ。

だから……。

俺はその場に膝をつくと、深く頭を下げた。

「どうか……私に力を……！」

「……よかろう」

亜神様は短くそう告げると、さっと腕を振った。

その瞬間、俺の体は宙に浮かび上がり、そのまま空中に固定される。

そして、俺の背に亜神様が手を置いた。

「では……お主の願いを叶《かな》えよう——————！」

「ッ⁉」

亜神様の言葉を合図に、俺の心臓に凄《すさ》まじい圧力がかかる。

その圧力によって、俺の心臓はかつてないほど激しく動いた。

「ごぼっ⁉」

人体の限界を超えた心臓の鼓動により、魔力だけでなく血液までもが凄まじい勢いで体内を駆け巡る。

そして、その勢いに耐え切れず、体中の血管が千切れると、四肢のあちこちから血が噴出した。

目や口など、穴という穴からも血液が噴き出す。

さらに、激流となった血液により、酸素が脳に大量に送り込まれ、頭が沸騰しそうになる。

「あああああああああああああああ！」

「刀真！　気をしっかり保つのじゃぞ！　もし一瞬でも気を抜けば、その瞬間に死ぬと思え！」

「────ッ！」

俺は必死に歯を食いしばった。

すると、激しく鼓動していた心臓から、血液とは違う、別の力が動き始めたのを感じる。

それはまさに、ずっと心臓部で留《とど》まり続けていた、俺の魔力に他ならなかった。

俺の魔力は亜神様の補助を受けながら、狭い俺の魔脈をこじ開けていく。

その瞬間、魔脈が少し開くたびに、付近の筋力や神経が勢いよく活性化され、その勢いに耐え切れず、自分の体があらぬ方向にねじ曲がり始めた。

「があああああああああああっ！」

「いかん！　活性化が早すぎる……！」

魔脈が開けば開くほど、俺の体は悲鳴を上げていく。

骨は超活性化した筋肉に耐え切れず砕け、神経は引き千切れていく。

内臓はもはや限界を超えた活動を始めたかと思えば、すぐに周囲の筋肉に押し潰された。

「────────！！！！」

「くぅ……！　まさか天武体による弊害があるとは……！　活性化した筋力が強すぎる……このままでは、自身の筋力に押し潰されて絶命するぞ……！」

もはや俺の耳には、亜神様の言葉は入ってこない。

あらかじめ聞かされていたとはいえ、それはまさに、地獄のような痛みだった。

亜神様はこのことを見越していたようで、回復術も同時にかけてくださっていたものの、やはり俺の魔力による活性速度に回復が追い付いていない。

骨も皮も筋も神経も、何もかも、ぐちゃぐちゃになっていく。

ああ……確かに、痛い。

焼きごての熱さや、堕飢に体を食い千切られていたのが可愛《かわい》く思えるほどに。

文字通り、全身がぐちゃぐちゃになっているのだ。

こんな痛みは、これから先も経験することはないだろう。

でも俺は、この痛みに耐えてでも、力がほしい。

母上に胸を張って、生きていくためにも……！

「ぬぅっ!?　あの状況から持ち直すとは……！」

――永遠のような時間だった。

何度も何度も己の体に殺されそうになるたびに、亜神様のおかげで回復を繰り返す。

もはや、俺の体に無事だった場所など一か所もなかった。

すべてが破壊され、再生され、全身が引き裂かれ、へし折られ、かき混ぜられていくのだ。

だが、亜神様が仰《おっしゃ》っていたように、何事にも終わりは訪れる。

……必死に耐えていた俺の体には、いつの間にか魔力が駆け巡っていたのだ。

「はぁ……はぁ……な、何とかなったのぅ……」

「あ――」

そんな亜神様の言葉を耳にした瞬間、俺は糸が切れたように意識を失うのだった。

＊＊＊

「はぁ……まったく、大したもんじゃ」

儂《わし》は目の前で気絶した刀真を見て、そう呟《つぶや》いた。

正直、一か八かの賭けだった。

魔脈をこじ開けるということは、言葉以上にとんでもない危険性を孕《はら》んでいる。

それほどまでに生物にとって体と魔力は切り離せない関係であり、その魔力を体に巡らせる魔脈に手を加えるのだから、死を覚悟する賭けになるのは当たり前だった。

だが、刀真はそれを乗り越えた。

全身が砕け、擂《す》り潰されようと、必死に生にしがみついたのだ。

この生命力は、これから儂の【覇天拳】や【闘気《とうき》】を伝承していく上で、大きく役立つだろう。

そこまで考えた瞬間、不意に儂の心臓に痛みが走った。

「っ……少し、無茶したのぉ……」

凡人の魔力であればともかく、天魔体の魔力を制御するのは、亜神にとっても非常に難しいことだった。

魔力の活性化が早すぎて、回復魔法が追い付かなかったほどだ。

しかし、その甲斐あって、現在刀真の全身には魔力が巡っている。
あとは儂が、その魔力の扱いを教えるだけだ。
ただ――――。

「――――あと五年、かのぉ……」

儂は小さくそう呟いた。

第二章

――師匠に弟子入りしてから、五年の歳月が流れた。

「グオオオオオ！」

「ハアッ！」

俺は今、師匠から与えられた試験として、ここ……極魔島に棲《す》む、一体の鬼と戦っている。

この鬼は俺よりも遥《はる》かに大きい体躯《たいく》で、盛り上がる筋肉がその肉体の強靱《きょうじん》さを物語っていた。

また、額にも目が存在し、どうやらその目には通常の視覚とは異なり、魔力や闘気を感知する力があるようだ。

そんな鬼の名前を、俺は知らない。

極魔島の文献は少なく、どんな妖魔たちが生息しているのか明らかになっていないからだ。

なので、俺は【三つ目鬼《みつめおに》】と、見た目のままだがそう呼んでいる。

それに、元々俺が知っていた妖魔の数もたかが知れている。

……まあ、そんなことは関係ない。

どんな相手であれ、俺はコイツを倒すしかないのだから。

「ガアアアア！」

巨大な腕から放たれる殴打《おうだ》。

それらの攻撃を避け続けるが、避けるたびにその腕から放たれる一撃で大地が割れ、大きな地響きが起こり、ただ腕を振り回す風圧だけで、周囲の木々が吹っ飛んだ。

そんな風圧に耐えるだけでも大変なのだ。もし攻撃をまともに受ければ、俺の肉体など一瞬で潰されるだろう。

もちろん、そのまま三つ目鬼の拳を受け止めることはしない。

「『流天《るてん》』！」

俺は三つ目鬼の殴打に合わせ、相手の拳の側面に手を添えると、そのまま懐《ふところ》へと、巻き込むように回転しながら進んでいく。

その際、触れている腕に対し、指に闘気を纏《まと》わせつつ魔力を練りながら、正確に破壊できる点を突いた。

まま破裂した。

「グオオオオオオオ!?」

その一撃は凄《すさ》まじく、俺の指で突かれた三つ目鬼の腕は、一瞬で膨れ上がると、その
腕が破裂したことで怯《ひる》んだ三つ目鬼に対し、俺はその隙を逃さず、一気に懐に潜り込む。

そして、三つ目鬼の腹を目掛けて、闘気と魔力を練り上げた拳を放った。

「『崩天《ほうてん》』！」

「ガッ――――！」

抉《えぐ》り込むように、三つ目鬼の腹にめり込む俺の拳。

その瞬間、三つ目鬼の腹から背に向けて、衝撃が突き抜けた。

しかし、俺は自身の手ごたえに眉をひそめる。

――――浅い。

三つ目鬼の強靱な肉体と、何よりその額の目によって、俺の魔力などを事前に感知されていたようで、完璧に衝撃を突き通すことができなかったのだ。

しかも、俺の魔力を三つ目鬼の体内の魔力とぶつけることで反発させ、体ごと破裂させることを狙っていたのだが、どうやら先んじて腕を破裂させたことで、三つ目鬼が警戒してしまい、一瞬のうちに魔力の制御をより強固にしてしまったようだ。おかげで相手に内

傷を負わせることができなかった。

それゆえ、三つ目鬼は倒れることなく、前かがみになりながらも踏ん張った。

だが……。

「もう一度ッ……！」

俺は下がって来た三つ目鬼の顎に向け、再度『崩天』を放つ。

すると、顎を打ち砕かれた三つ目鬼は、そのまま顔を跳ね上げると、後ろに向けて倒れていった。

警戒を怠らず三つ目鬼の様子を確認すると、三つ目鬼はこと切れている。

「ふぅ……」

「――――ま、合格かのぅ」

その瞬間、師匠が音もなく俺の傍《そば》に現れた。

俺が魔力を扱えるようになったのも、こうして鬼のような妖魔と戦えるようになったのも、すべてこの師匠のおかげである。

「分かってるとは思うが、まだまだ甘いところがある」

「はい……」

それは俺自身、酷《ひど》く痛感していた。

まだまだ俺は、師匠の技を完璧に受け継ぐことができていない。

技術や知識は叩《たた》き込まれたが、それを使いこなせる技量が今の俺にはないのだ。

せいぜい今の俺は、【覇天拳】の基礎が身に付いたくらいのものだろう。

そう思っていると、師匠は一つ頷《うなず》く。


「うむ。では、次が最後の試験じゃ」


「なっ⁉」

師匠の言葉に、俺は目を見開く。

「ま、待ってください！　私はまだ未熟です！　それなのに最後の試験だなんて……」

「確かに、今のお主はまだ未熟じゃろう。しかし、お主に伝えられることはすべて伝えた。あとはお主自身が技を磨くだけじゃ。それに……時間じゃ」

「え……？」

よく見ると、師匠の体が透け始めていたのだ。

「し、師匠……？」

「最初にお主と出会った時に、言っていたじゃろう？　儂の天寿が近いと。それが来ただけじゃよ」

「そ、そんな……」

師匠の言葉を、俺は素直に受け止めることができなかった。

まだまだ、俺は師匠から学びたいことがたくさんあるのだ。

それなのに……。

すると、師匠は困ったように笑った。

「そう悲しい顔をするでない。最期《さいご》じゃというのに、悲しい顔で別れるのは寂しいじゃろう。それに、儂の心配よりも、自分の心配をすべきじゃ」

「え……？」

「――最後の試験は、この島の中心に到達すること」

「！」

俺はその言葉に、目を見開いた。

師匠に弟子入りしてから、俺はこの極魔島で様々な妖魔たちを相手に戦ってきた。

とはいえ、まだまだ島に広がる大森林の中間部でなんとか戦えるようになったくらいであり、最奥部《さいおう》である中心に聳《そび》える岩山など先も先だ。

極魔島は奥地に向かえば向かうほど、そこに存在する妖魔もより強力になる。

たった今倒した鬼も、奥地に行けば群れで襲ってくる可能性だってあるのだ。

「ほっほっほ。最後の試験の難しさが分かったかのぅ？」

「……はい」

「……お主がこの島の中心にたどり着けた時、お主が求めていた、生きるための力は確かなものとなる。そして恐らくそこに、また別のお主が求めるものがあるはずじゃ」

「私が求めるもの……？」

最初は自分の居場所を求めていた俺だったが、五年前に父上に捨てられ、この地にたどり着いたことで、居場所を手に入れる以前に生き残るための力を求めるしかなかったのだ。

それ以外で、俺が求めるものって……。

俺が首を捻《ひね》っていると、師匠は島の中心部の方に視線を向ける。

「最初は何のための結界なのか分からんかった。しかし、お主とこの地で過ごす中で、徐々に分かったことがある。あの地には、刀真、お主自身が行かねばならない」

「え？」

「フフ……まあよい。この島の中央に聳え立つ、あの岩山にたどり着けば分かることよ」

そう語る師匠の体はもう、ほとんど消えかかっていた。

「さて、刀真よ。最後の試験を突破したあとは……好きにするがよい」

「好きに……？」

「そう、好きに」

そう言われても、俺はどうすればいいのか分からなかった。

ただがむしゃらに生きてきたから、好きに生きるということが分からないのである。

「故郷に帰るもよし、旅をするのもよかろう。お主は何でもできるんじゃ。己の望みとゆっくり向き合うがよい。それが、生き抜くということじゃよ」

「俺の……望み……」

今はまだ、俺の望みは浮かばない。

もしかしたら、これから先も分からないままの可能性だってある。

それでも――――。

「――――分かりました。師匠に胸が張れるよう、精一杯生き抜きたいと思います」

「うむ。儂《わし》の最期の時を、お主と過ごせて幸せじゃったぞ――」

師匠は最後に笑うと、そのまま世界に溶けるように消えていった。

……師匠は、俺との時間が幸せだったと言ってくれた。

だが俺は、師匠に何かを与えられただろうか。

俺はたくさんのものを与えられた。

これ以上ないほど、そして、幸せな時間を。

「うっ……くっ……」

自然と涙が零《こぼ》れ落《お》ちる。

こんな風に、純粋に誰かを想《おも》って泣いたのは何時《いつ》ぶりだろう。

初めてこの島に流され、絶望した時の涙とは違った。

俺はその場に跪《ひざまず》くと、深く頭を下げる。

「師匠……本当にありがとうございました……！」

――旅立った師匠への、最後の挨拶だった。

＊＊＊

——師匠が旅立ってから、俺は寝食を忘れ、修行に打ち込んだ。

その結果、二年が経過し、島を囲う森の奥地に向かうことで、ようやく島の中心に聳え立つ岩山が見えてきた。

それと同時に、襲い来る妖魔の強さが尋常ではなくなっていく——。

「グルアアアアアアア！」

「フッ！」

俺に襲い掛かる、人の家ほどの大きさを誇る、巨大な狼《おおかみ》——【大狼《たいろう》】。

大狼は手脚に紫の炎を纏《まと》っており、その炎は周囲の木々を燃やすことなく、的確に俺という獲物のみを熱し尽くしていく。

「『崩天』！」

「ギャン⁉」

俺はその攻撃をまともに受けないよう、身を低くかがめると、そのまま大狼の懐《ふところ》に潜り込み、拳を放つ。

無防備な腹に拳がめり込むと、大狼は声を上げ、吹き飛んだ。

すると、そんな俺と大狼の戦いの隙を縫うように、鋭い矢のような一撃が飛んでくる。

「ッ！」

咄嗟《とっさ》に顔を逸《そ》らしてそれを避けると、一撃が飛んできた先に大狼と同じくらいの蝦蟇《がま》
――【大蝦蟇】が、こちらをじっとりと狙っていた。……先ほどの一撃は大蝦蟇の巨大な舌か。

俺が素早くその大蝦蟇の元に向かおうとすると、今度は頭上から凄《すさ》まじい速度で何かが大量に降り注ぐ。

それらを【覇天拳】に伝わる独特の歩法で躱《かわ》しつつ、視線を上げると、そこには【狒々《ひひ》】の群れが、こちらの様子を窺《うかが》っていた。

頭上から降り注いだのはこの狒々たちが投げた石だったようで、周囲には深い陥没がいくつもできており、どれほどの威力が込められていたのか見て取れる。

すると、狒々たちは新たに石を構え、こちら目掛けて投げつけてきた。

「ハアッ！」

俺がその場で力強く踏み込んでみせると、俺を中心に地面が割れ、その破片が周囲に飛び散った。

「『破軍《はぐん》』！」

「ギィイイイ⁉」

飛び散る破片すべてを砕かないように意識しながら拳の連打で打ち飛ばしていくと、それらはまっすぐ飛んでいき、狒々を殲滅《せんめつ》していく。

すると、再び俺が狒々の群れに攻撃した直後を狙い、大蝦蟇の舌が、俺を貫かんと伸びてくる。

だが……。

「フッ！」

「ゲェエ⁉」

俺は大蝦蟇の舌が伸び切ったところで、その舌を摑《つか》み上げると、そのまま勢いよく振り回した。

「ハアアアアアッ！」

「ゲェェェエエエエエ！」

周囲の木々を薙《な》ぎ倒《たお》しながら、振り回した大蝦蟇を投げ飛ばす。

「ッ⁉」

大狼、大蝦蟇、狒々と、連続で妖魔の襲撃を乗り切ったところで一息つこうとした瞬間、大きな影が俺を覆った。

俺が慌てて上空を見上げると、そこにはこの森を包み込んでしまいそうなほど、巨大な人型骸骨……【大髑髏《おおどくろ》】が！

……しまった。森を進むことに夢中になり過ぎて、時間を確認していなかった。

この大髑髏は、昼間には姿を現さず、夜の極魔島にだけ出現する、謎の妖魔だった。

そもそもこの大髑髏を含め、先ほど戦った大狼も大蝦蟇も狒々も、正式な名前は知らないため、ただ勝手に俺がそう呼んでいるに過ぎない。

そしてこの大髑髏だが、恐らくこの極魔島で一番強大な妖魔と言ってもいいだろう。

この地で果てた者たちの怨念が詰まったような、背筋の凍る気配を常にまき散らしているのだ。

だがそれだけの存在感を誇りながら、この島で気配を感知する技術を磨いた俺でさえ、出現するまでコイツの気配すら摑めなかったのだ。

そんな大髑髏は、俺の姿を見つけると、眼孔や口から緑の煙を吐き出しながら、俺を押し潰さんとその巨大な手を振り下ろしてきた。

「クッ！」

俺は全力でその場から飛び退くと、大髑髏の手が目の前に落ちてくる。

その瞬間、大地が大きく弾んだ。

今までの妖魔とは比べ物にならない威力で、たった一撃だけで森の半分が吹き飛び、周囲が悲惨な状況になる。

コイツは見つかりさえしなければ特に害はないと、今まで避け続けていたのだが、ついに見つかってしまった。

それだけ目標である岩山に近づいたことで、気持ちが逸《はや》っていたのだろう。

幸い、岩山に張られているという結界は、この大髑髏による地形の影響も受けないようで、相変わらず健在である。

この大髑髏の動きは比較的遅いものの、それでもその巨軀《きょく》による攻撃範囲は凄まじく、コイツから逃げ切るのは難しいだろう。

「……やるしかないか」

俺は覚悟を決めると、すぐに全身に闘気を行き渡らせ、魔力を練り上げた。

そして、今大地に下ろしている大髑髏の手に飛び乗る。

すると、大髑髏は飛び乗った俺を振り落とそうと、手を振り回した。

「『破空脚《はくうきゃく》』！」

だが、俺は振り落とされる前に大きく跳躍し、大気を足場として使いながら、大髑髏の眼前に飛び出した。

大髑髏の頭蓋を目掛けて、俺は渾身《こんしん》の拳を放つ。

「『崩天』ッ！」

その瞬間、大髑髏の頭蓋が弾《はじ》け、不気味な叫び声をあげながら仰向《あおむ》けに倒れた。

「ロォオオオオオ！」

だが、倒れた直後、砕け散った頭蓋が緑色の煙によって修復されていく様子が目に入る。

「なっ⁉ 頭を吹き飛ばしてもダメなのか⁉」

……確実に大髑髏の魔力と俺の魔力を反発させ、頭蓋を吹き飛ばした。

しかし、コイツは頭を吹き飛ばされたところで、特に堪《こた》えた様子もなく回復していく。

大抵の生命体は頭を吹き飛ばせば、もう起き上がることはない。

……まあこの大髑髏が生きているのかと言われると、それは不明ではあるが。

何はともあれ、頭を吹き飛ばしてダメなら、別の場所を狙うだけ……。

すぐに大髑髏の全身を見渡していると、修復を終えた大髑髏が、凄まじい勢いで俺に掴みかかって来た。

「『崩天』ッ！　ぐっ⁉」

それを空中で避けられないと察した俺は、左右の手で『崩天』を放つことで、大髑髏の拘束を回避。

ただ、あまりの力の強さに、一瞬押し負けそうになった。

それでも魔力と闘気を最大限に練り上げ、両手を弾き飛ばすと、ついに大髑髏の核となる部分を見つけた！

「『破空脚』！」

俺は再び大気を足場にすると、大髑髏の胸の中心目掛けて突っ込む。

そして――――。

「ハアアアアアアアアッ！」

「オオオオオオオオオオオオオオオオオオオオ！」

大髑髏の胸に、渾身の『崩天』を振り下ろす。

すると、大髑髏の胸骨が砕け、身体《からだ》の中心に隠されていた緑の光の球体を貫いた。

次の瞬間、大髑髏は悲鳴を上げたのち、そのまま空気に溶けるように消えていく。

「はぁ……はぁ……た、倒せた……」

このまま勝利の余韻に浸りたいところだが、また妖魔の群れに襲われたらたまったものではない。

俺は、すぐにその場から駆け出すと、ただ真っすぐ、目標の岩山を目指した。

そしてついに――――最終試験の地へとたどり着くのだった。

＊＊＊

「こ、ここが……」

そこは今までの森の様子と明らかに雰囲気が違っていた。

何故《なぜ》ならその部分だけ拓《ひら》けており、岩山が聳《そび》え立っているのだ。

しかも、その山の麓には巨大な洞窟がある。

「師匠の話だと、ここに俺が求めているものがあるらしいが……」

あれから二年経《た》った今でも、それが何なのか分からない。

それと、師匠の話では、ここに結界が張られているらしいが……。

「元々この地は初代皇帝によって、とある妖魔が討たれたとされる島……ただ、かれこれ七年過ごしてきたが、その妖魔が何なのか、まったく分からない」

生贄《いけにえ》によってその討伐した妖魔の怨霊《おんりょう》を鎮《しず》めるという話だが、今のところそんな怨霊を見た記憶はない。

いや、あの大髑髏は怨霊とも言える姿をしていたが、どちらかと言えば、この地で散っていった罪人たちの怨霊と言う方が正しいだろう。

もし本当に初代皇帝が討った怨霊がいるとするなら、今の俺が倒せるはずもない。

ただ、この島に生息する妖魔が凶悪なのは間違いなく、この島に流されれば、まず生存は不可能だろう。

そしてそんな島で長い間過ごしてきた俺だが、目の前の洞窟の中から、大髑髏を含め、この島で相手にしてきたどんな妖魔よりも凄まじい気配を感じ取っていた。

この気配……師匠よりも上かもしれない。

「一体、何があるというんだ……？」

師匠の試験がこの洞窟の中も含んでいるのか不明だが……気にならないと言えば嘘《うそ》になる。

結界が張られているらしいが、それがどんなものなのかは俺には分からなかった。師匠は何なのか分かっていたみたいだが……。

だからこそ、俺をこの地に向かわせたのだろう。

「……入ってみるか」

俺は覚悟を決めると、目の前の洞窟に足を踏み入れた。

「ッ⁉」

すると、洞窟に足を踏み入れた瞬間、俺の体から力が抜け落ちた。

しかも、俺の意識まで遠のいていく。

「な、何が……！」

必死に意識を繋《つな》ぎとめようとするが、気づけば俺の視界は黒く染まってしまった。

＊＊＊

「う……ん……？」

ふと意識が覚醒する。

どれだけ時間が経ったのか分からないが、俺の意識が飛んでいたのはほんの一瞬だったように思えた。

「一体、何が起きて……⁉」

そこまで言いかけた俺は、足元を目にした瞬間、絶句した。

「な、何だこれは⁉」

なんと、俺の足元に……俺の体が転がっているのだ。

まるで深い眠りについているように、目覚める気配がない。

「ど、どうなってる⁉　なら、今の俺は一体何なんだ⁉」

慌てて自身の体を見下ろすと、そこには確かに俺自身の肉体が存在した。

しかし、どこか薄《う》っすらと透けており、とても普通の状態とは思えない。

これはまるで、幽体離脱しているかのような状況だった。

「くっ……駄目か」

何とか足元の肉体に入り込もうとするが、まったく反応がない。

「……これは……この先に進めば、解決するのか？」

こんな状況になったのは、俺がこの洞窟……結界内に足を踏み入れた瞬間だった。

とすると、この状況を打破するための何かも、この洞窟の中にある可能性が高い。

俺は改めて足元の自分の肉体に目を向ける。

「……ここに置いていくのは不安だが、仕方ないか……」

どうすることもできない以上、置いていくしかなかった。

とはいえ、この洞窟内に妖魔たちが入った痕跡はなく、おそらくここに張られている結界によって、定められた者以外の侵入は拒まれているのかもしれない。それなら安心なのだが……。

再度洞窟の奥に目を向けると、俺は気を引き締め、先へと進んでいった。

洞窟の内部は外の様子とは異なり、石造りのしっかりとした構造になっていた。

どう考えても、ここには人の手が入っている。

もしかしたら、遥《はる》か昔に怨霊を祀《まつ》るための祠《ほこら》として建てられたものなのだろうか。

そんなことを考えながら進んでいくと、やがて広い空間に出た。

その瞬間、周囲の壁面にかかっていた松明《たいまつ》に火が灯《とも》る。

「なっ……」

『――ずいぶんと時間がかかったものよ』

「！」

不意に、声が響き渡った。

俺はすぐさま戦闘態勢をとるが、何故か相手の姿が見えない。

師匠と別れ、さらに修行したことで魔力や気配には敏感になっているはずだが、まったくそれらが察知できないのだ。

すると、謎の声の主が笑う。

『ククク……そう構えるな。余は目の前におる』

「ッ！」

次の瞬間、俺の目の前に壮年の男性が姿を現した。

なびく黒い長髪に、豪華な衣服。

その出で立《い》ちは非常に厳かで、この男性がただ者ではないことが一目で分かった。

だが――――。

「身体が……透けてる……？」

今の俺と同じように、肉体が透けていたのだ。

すると、男性は悪戯《いたずら》小僧のような笑みを浮かべる。

『当然だ、余はすでにこの世を去っておるからな』

「な、ならば俺は一体……」

目の前の男性が本物の幽霊だとすると、この男性と似た状態の俺は何だというのだろうか。

そんな俺の疑問に対し、男性は答える。

『貴様は今、精神体と呼ばれる状態だ』

「精神体？」

『そうだ。余が展開した結界の効果によって、肉体と精神が一時的に切り離されたのだ』

「何でそんなことを……」

再度訊《たず》ねる俺に対し、男性は笑みを浮かべる。

『フッ……余の子孫は、ずいぶんと質問が多いな？』

「し、子孫⁉」

『まあよい。ここにいるということは、この島にいる妖魔を相手にしながらここまで来たのだろう？』

「そ、そうですが……」

『ならば、貴様は余の試練を突破したことになる。そして資格を得た……余のすべてを受け取る資格をな』

「ま、待ってください！」

俺は思わずそう声を上げた。

なんせ、分からないことが多すぎるのだ。

目の前の男性が何者なのか、それに子孫とはどういうことなのか。

それに、試練や資格など……いきなりのことで何も分からない。

だが、男性は呆《あき》れた表情を浮かべた。

『はぁ……余を相手にその態度とは……とても陽龍家《ひりゅうけ》の者とは思えんな』

「陽龍家⁉」

男性の口から出たその家名に、俺は目を見開いた。

何故なら陽龍家とは、陽ノ国の皇族を示すものだからだ。

すると、そんな俺の反応を見て、男性が訝《いぶか》しそうな表情を浮かべる。

『ん？　何を驚いている？　……いや、待て。貴様、余の子孫にしては妙だな？　何故、【王刀《おうとう》】を持っていない？』

『王刀』とは、まさに皇族が扱う命刀のことであり、俺が持っているはずもない。

その瞬間、男性の気配が変わった。

『ふん……国で何が起きたのかは分からぬが、確かめてみればよいだけか』

「え？」

『――――貴様の力、見せてみよ』

「ッ⁉」

一瞬だった。

確かに男性の言葉に驚いてはいたが、警戒を怠っていたわけではなく、隙を見せたつもりもない。

だが、この男性はそんな俺の懐《ふところ》に一瞬で潜り込んできたのだ。

そして、男性の手にはいつの間にか白銀の刀身と美しい青い刃文が広がる、一本の刀が握られていた。

『死ぬなよ？』

「ぐうううう⁉」

咄嗟《とっさ》に魔力と闘気を限界まで引き上げ、腕に纏《まと》わせると俺は男性の一撃を受け止めた。

もし一瞬でも魔力と闘気を纏わせるのが遅れていたら、俺の腕は斬り飛ばされていただろう。

何とかその威力を逃がそうとするが、あまりにも一撃が強烈過ぎて、威力を殺すことができず、体ごと大きく吹き飛ばされる。

しかし俺は、男性の攻撃を受け止めた瞬間、痛手を受ける前に妙な感覚に襲われていた。

『ふむ……しっかりと流れ込んでいるな……』

どういうわけか、男性が放った今の一撃が、一体どういうもので、どんな魔力の流れをたどり、技となっているのかが、瞬時に俺の脳内に流れ込んできたのだ。

突然の現象に驚いていると、男性は頷《うなず》く。

『やはり、伝承できているということは、俺の子孫であることに間違いはないな。ならば、このまま続けよう』

「何を――――!?」

俺が制止の言葉をかける間もなく、怒濤《どとう》の勢いで男性の攻撃が放たれた。

男性の剣撃は変幻自在で、こちらが防ごうとすれば、その隙を一瞬で突き、刀の軌道が変化する。

しかもその一撃一撃が凄《すさ》まじい威力で、俺は紙一重で受け流しながらなんとか持ちこたえていた。

するとやはり、男性の攻撃を受けるたびにその動きや技が、俺の脳内に流れ込んでくるのだ。

男性が口にしていた『伝承』という言葉を思い返すと、今の俺は、男性から何かを伝授されているのだろう。

とはいえ、もし俺の魔力と闘気のどちらか一方でも欠けていれば、俺は一瞬であの世に行っていたはずだ。

その上、俺は自分の目にも魔力と闘気による強化を限界まで施しているのだが、これがなければ男性の動きを追うことさえできないのである。

それでも、必死に男性の動きを見つめることで、彼の体内を巡る魔力の流れが見えてきた。

そのおかげで、脳内に叩《たた》き込まれる情報と、目にしている魔力の流れを照らし合わせることで、何とか男性の攻撃を推測し、対処していくことができている。

すると、そんな俺の目を見た男性が、愉快そうに笑った。

『ほう？　貴様……いい【眼《め》】を持っているな。ならば、もう少し調子を上げてもいいだろう』

「くっ！」

何のことかさっぱり分からないまま、男性の攻撃はより苛烈になる。

しかし、何より恐ろしいのは、このすべての攻撃を目の前の男性は涼しい顔で行ってくることだ。

つまり、この男性にとって、この程度の剣撃は本気ですらないということになる。

島の奥地にたどり着けたことで、多少腕に自信がついてきた俺だったが、そんなものは一瞬にして吹き飛んだ。

ただ、このままやられっ放しというのは、あまりいい気はしない。

俺がやられるだけならば問題なかろう。

だが、俺が負けるということは、師匠から受け継いだ【覇天拳】も負けたということになる。

それだけは許せなかった。

「舐《な》めるなッ！」

『ほう？』

俺は男性の魔力の流れと呼吸を読み取ると、その隙を縫って迅速に動き、攻撃を回避する。

これは男性から攻撃を受け続け、ようやく脳内に送り込まれた動きや技を整理したことで、なんとかできたことだった。

さらに、今まで攻撃を防いできた中で見つけた、男性自身の息遣いや体の動きを瞬時に推測することで、俺はより確実な隙を見つけることに成功する。

そして、今までの仕返しと言わんばかりに、俺は全力で拳を放つ。

「『覇天拳』ッ！」

師匠から受け継いだ、師匠の人生の集大成であり、奥義《おうぎ》。

――師匠の【覇天拳】を体得する上で必須となるのは、万物の終わりを見つけること。

言葉にしてもよく分からないだろうが、師匠と初めて出会った時にも言われた通り、何物にも終わりが存在する。

その終わりに繋《つな》がる点というものがすべての物には存在し、そこを突くことで、強制的にその物を終わりへと導く……これこそが【覇天拳】の神髄である。

どんな頑強な岩であっても、その終わりの点……『終点《しゅうてん》』を突くことで、確実に砕けるのだ。

俺はこの空間に漂う空気の終点を見つけると、そこを穿《うが》つように拳を放つ。

これにより、終点を突かれた空気は拳に対する抵抗を止め、結果的に俺の拳は最速となる。

さらに魔力と闘気で限界まで拳を強化していることもあり、今この一撃はまさに神速と言えるだろう。

必中を確信する中、俺が男性に目を向けると……男性は獰猛《どうもう》な笑みを浮かべていた。

『クハハハハ！　よい、よいぞ！　外の世界はずいぶんと刺激的になったようだ！』

「何っ⁉」

なんと男性は、俺の神速の一撃を、軽やかに躱《かわ》してみせたのだ。

そして、俺から少し距離を取ると、男性は独特な歩法を見せる。

『この動きには対応できるか？』

「くっ⁉」

男性の独特な歩みは、相手の距離感を乱し、絶えず拍子を変化させることで、動きを予測させにくくするものだった。

何より驚いたのが――――。

『『『さあ、どうする？』』』

――男性の姿が分身したのだ。

ただの分身であれば、気配や魔力の流れを読めば、すぐに本物を見つけることができる。

しかし、この男性の独特な歩法から生まれた分身は、男性の魔力と気配をそのまま維持しているのだ。

……いや、注意深く観察すれば、僅かな差は存在する。

だが、その差をじっくり観察する時間を、男性が与えてくれるはずもなかった。

『『『フッ！』』』

分身した男性は、一斉に俺に斬りかかる。

ならば……！

「ハアアアアアッ！」

『『む……』』

俺は狒々《ひひ》たちを相手にした時と同じように、力強く踏み込む。

その瞬間、地面が大きく砕かれ、周囲に石片が飛び散った。

その石片は男性にも襲い掛かり、男性は攻撃の手を止め、再び俺から距離を取った。

今だッ！

その隙を突き、俺は男性たち目掛けて掌底を突き出す。

「『空波《くうは》』！」

『！』

これは魔力と闘気で強化した掌底で、空気を圧縮し、打ち出す技だ。

俺の掌底から放たれた圧縮された空気は、男性の元に飛んでいくと、一気に爆《は》ぜる。

すると、爆ぜた空気の衝撃を受け切れず、数人の男性が霧散し、一人だけが残った。

『ほう、よく余の動きを見切ったな』

「……最初は、貴方《あなた》の分身からも確かな魔力と闘気が感じ取れたため、本物のように実体があると思っていました。ですが、よく観察すれば、その魔力と闘気には極僅かに違いと揺らぎが存在した……実体がなければ、魔力や闘気の完全統制は不可能だから。ということは、分身は実体を持っていない。だからこそ、このような範囲攻撃であれば貴方の分身を消せると思ったのです」

『魔力と闘気を感知することはできても、そこまで見抜くことは本来不可能だ……ククク……やはりいい【眼】を持っておる』

俺の答えに男性は愉快そうに笑った。

『面白いものを見せてくれた礼だ、一つ余の本気を見せてやろう――――』

「ッ！」

気配が急激に変化したことを察知し、俺がより警戒を強めると、男性は体を深く沈め――。

『【万閃《ばんせん》】』

――何が起きたのか、分からなかった。

気づけば俺の体は、無数の斬撃によって切り刻まれていたのだ。

体から噴き上がる血飛沫《ちしぶき》に俺が目を見開くと、男性は刀を肩に担《かつ》ぐ。

『フッ……どうだ？』

「何、が……」

俺は思わず膝をつくが、体をよく見ると精神体だからか、斬られた箇所はすでに治っていた。

「傷が消えてる……!?」

『余の技を伝承するのに、伝承者が死んでは意味がなかろう？　そのための精神体だ。とはいえ、殺す気で戦っていたのは事実だが……まあ精神体とは関係なく、余と斬り結べぬような軟弱者などいらんからな』

男性はそう語るものの、今の俺の耳にはあまり入ってこなかった。

――負けた。

師匠から受け継いだ技を駆使し、全力を尽くしてなお、負けたのだ。

呆然《ぼうぜん》と己の手を眺める俺に対し、男性は一瞬口をつぐむと、ため息を吐《つ》く。

『はぁ……貴様、思い上がってはおらんか？』

「え……？」

『余がこの境地に至るまで、どれほど時を重ねたと思っておる。それがまだ、齢《よわい》十数程度の小童《こわっぱ》に、負けるはずがなかろう』

「それは……」

『そんな余に対して、貴様は本気を出す価値があると証明したのだ。それを誇らぬというのであれば、それはあまりに不敬である』

「！」

そこまで言われて、俺は気づいた。

確かに、俺は師匠の技を駆使して負けた。全力を尽くしてなお、完璧に敗北した。

だが、それはこの男性が俺以上に修練を重ねた結果なのだ。

師匠とこの男性が戦ったのであれば、戦いの行方がどうなったのかは分からない。

しかし、俺ごときがこの男性に負けたと嘆くこと自体が烏滸《おこ》がましく、男性を侮辱する行為だったのだ。

俺はすぐにその場から立ち上がると、男性に向けて頭を下げた。

「大変、失礼いたしました。そして、ご指導、ありがとうございました」

こんな達人に相手をしてもらえるなど、そうあることではない。

それに、この男性と戦う中で、俺の体には確かに男性が使っていた刀術が流れ込んできたのだ。

『フッ……分かればよい。ところで貴様、名は何という？』

「ご、護堂刀真と申します」

『この結界に入れたということは、陽龍家の血は流れているはず。つまり、直系の者ではなかったか……いや、今さらそんなことはどうでもよいな。それよりも、徒手格闘でここまでやるとは驚いた。陽ノ国では珍しい……いや、今の時代、貴様のような徒手格闘が主流なのか？』

「い、いえ、そういうわけではありませんが……偉大なる師匠のおかげです」

『貴様をここまで鍛え上げた師匠か……正直、余は貴様が徒手格闘だけであそこまで戦えたことに驚いた。よほど良い師匠に恵まれたのだな』

「……はい」

師匠が褒められ、俺は嬉《うれ》しくなった。

『……余は生前、誰も弟子を取ることがなかった』

「え？」

確かに、こんな素晴らしい技術が今の陽ノ国に伝わっていないのはおかしい。何より、こんなに貴重な技の数々をあの陽龍家が放っておくはずがないのだ。

だが、現にこの男性の技術は、陽ノ国の誰にも伝わっていなかった。

『……仕方がなかったのだ。余の持つすべての技を伝承できるだけの人間が、当時の陽ノ国にはどこにもいなかったのだからな。たとえ数代は平和な世が続いたとて、陽ノ国は刀一本で統一された国。いつかは綻びも生まれよう。そしてこの陽ノ国を統治し続けるためには、力が必要なのだ。それに、内側のことばかり気に掛けているわけにもいかん。敵は国の外にも存在するのだからな……ゆえに、余の技術をすべて受け継ぐことができる子孫が現れた時のため、陽龍の血に試練を課したのだ。とはいえ、今まで貴様以外、この地にたどり着いた者は誰もいなかったが……一つ訊《き》くが、陽ノ国は未《ま》だ健在か？』

「はい。変わることなく陽龍家が治めております」

そう告げると、男性は寂し気に笑った。

『そうか……ならば、余の余計なお世話だったのだろうな。力がなくとも、余の国は続いたのだから。ゆえに、なおのこと弟子をとれなかったことが心残りと言えるな……フッ、貴様のような優れた弟子を持つ師匠は、さぞ幸せだろう』

「……これからもそう思っていただけるよう、精進いたします。ですが……」

『む？』

「――私にとっては、貴方様もすでに師匠なのです」

『！』

俺の言葉に、男性は目を見開いた。

「……正直、何故《なぜ》私が選ばれたのか、今でも実感がありません。ですが、この場所で貴方様と斬り結び、確かに技術を伝承していただきました。ゆえに、貴方様も私にとって、師匠なのです」

『いや、それは貴様が試練を乗り越え、この場にたどり着いたからこその正当な報酬だ。貴様に師と仰がれるほどのことを、余は何もできていない』

「たとえそうであったとしても、私にとって、貴方様も師匠です」

真っすぐ男性の目を見ながら、俺はそう告げた。

『そう、か……余の弟子、か……』

どこか感慨深そうにそう呟《つぶや》くと、男性は笑った。

『ククク……まさか死後、こうして弟子をとる機会を得るとは……まあよい。貴様は素晴らしき徒手格闘術を習得しているが、陽ノ国男児であるならば、刀術を学んでいても損はなかろう。よく見れば、刀も振るうようだしな』

男性は俺の手に視線を送る。

そこには、師匠との修行を始めてからも続けていた、木刀の素振りでできた沢山のマメがあった。

……これは、俺がずっと刀に対して未練を捨てられていない証《あかし》だ。

師匠からその素晴らしい格闘術を学びながらも、意味がないと分かっていながら、木刀を自作しては素振りを続けてきたのだ。

何の流派でもなく、ただ木刀を上段から振り下ろすだけの毎日。

しかし……俺はやはり、木刀を振るう時間が好きだった。

『ともかく――よくぞ我が試練を乗り越えた。そんな貴様に、最後の褒美《ほうび》をくれてやる』

「！」

男性は手にしていた刀を突き出すと、その刀は空中に浮かび上がった。

浮かんだ刀は、ゆっくりと移動し、俺の胸……心臓部へと溶けるように消えていく。

その瞬間、俺は心臓とその刀が繋《つな》がったことを感じた。

ま、まさか……！

『我が【皇刀《おうとう》】、確かに託したぞ』

なんと、男性は俺に命刀を託したのだ！

「このような恐れ多い物……！」

『いらぬ、とは言わぬよな？』

「！」

俺の言葉を遮るように男性はそう口にする。

そして、俺の目を真っすぐ見つめた。

『余の試練を突破した以上、貴様にはその命刀を受け取る資格がある』

「し、しかし……」

そうは言われても、受け取った命刀は本来俺ごときが手にしていいものではないのだ。

なおも渋る俺に対し、男性は呆《あき》れる。

『はぁ……余の子孫でありながら、ずいぶんと細かいことを気にするものよ。よいか？　貴様が受け取らねば、どのみちその命刀は消えていくだろう。ならば、貴様が受け取り、使ってやることこそ、その命刀にとっても幸せなはずだ。違うか？』

「それは……」

『それに、余の弟子であるならば、こうして余が何かを授けても問題なかろう？　何はともあれ、皇刀は貴様に託したぞ』

もはやこれ以上のやり取りは不要といった様子で、男性はそう言い切った。

『さて……余のこの体が消えてしまうまで、もうしばらく時間がある。ならば、やることは一つだろう』

「え？」

その瞬間、男性の手に、俺に託した命刀とは別の、黄金に赤の刃文が入った刀がにぎられていた。

「そ、それは……」

『ふむ……久しぶりに出現させたが、やはり微妙だな』

男性が無造作に振るう黄金の刀は、まさに現在、陽ノ国の皇帝陛下が手にしている命刀……『王刀』に間違いない。

そして、その命刀のことを『微妙』だと口にする男性に対して、俺は絶句するしかなかった。

『ん？　何をしている。さっさと構えろ』

「え？」

『言っただろう？　まだ時間があると。残りの時間、余が弟子である貴様に、直々に修行をつけてやろう』

「ええ⁉」

『そら、構えぬと――――斬り捨てるぞ』

「っ⁉」

一瞬にして距離を詰められた俺は、咄嗟《とっさ》に継承した『皇刀』を出現させると、男性の攻撃を防ぐ。

『さあ、心ゆくまで……殺し合おう』

男性が凄絶な笑みを浮かべると、そのまま激しい斬り合いが始まるのだった。

＊＊＊

――あれからどれくらい時が流れただろう。

この空間は外と時間の流れが隔絶されているようで、すでに何年、何十年と男性と斬り結んでいる体感ではあるものの、洞窟を出れば一刻も経《た》っていないはずだ。

そんな長い時の中で『皇刀』を継承した俺は、そのまま男性と修行という名の殺し合いに臨み、その中で、男性の刀術をみっちりと叩《たた》き込まれた。

その修行はあまりに過酷なもので、男性は一切の躊躇《ちゅうちょ》なく俺の体を斬り裂いてくるのだ。

もしこれが生身の肉体での修行ならば、俺はもうこの世に存在していない。

なんせ何度も首や胴体を真っ二つに斬られたのだから。

しかし、その甲斐あって、男性から継承された刀術の理解は深まったつもりだ。

ただ、一つ残念なことが、この修行は生身ではなく精神体で行われたということ。

もちろん精神体だからこそ、この無茶苦茶な修行が可能だったのだが、精神体である以上、生身の肉体に戻った時に、この修行の成果が得られているのだろうか……。

するると、男性はそんな俺の考えを見透かしたように口にした。

『フン。貴様はここでの修行が無意味なものになるのではと思っているようだな?』

「い、いえ。無意味とまでは……」

『安心するがいい。確かに、本来ならば精神は肉体に引きずられ、肉体が主となり、精神が従となる。だが、ここで長い年月修行した貴様の精神は、その肉体を凌駕《りょうが》する。精神が主となり、肉体が従となるのだ。精神に肉体が引っ張られる形となるだろう』

「え……それならば、私が元の体に戻ると肉体は一気に歳《とし》をとるのでしょうか……？」

『いや、その点は心配ないが……クク。まあ戻ってからのお楽しみというものよ』

まるで悪戯《いたずら》小僧のように男性は笑った。

すると、男性の体がどんどん薄くなっていることに気づく。

「か、体が……！」

『ふむ……そろそろ時間だな。このまま余の子孫がここに来なければ、せっかく残したこの神念《しんねん》が消えるところだったが……こうして優秀な子孫の存在を確認できて安心したぞ』

「神念？」

『生前、余がこの場に結界と共に残した意思だ。これのおかげで、余は貴様と対話できておる』

「な、なるほど……」

『ともかく――よくぞ我が試練を乗り越えた。これで余も、安心して逝《ゆ》ける』

「……ありがとうございます」

俺は改めて男性に頭を下げた。

「こんな私に、命刀を授けてくださり、その上、貴方様《あなた》の刀術を――」

『――刀真』

「！」

ここにきて、俺は初めて男性から名前を呼ばれた。

そのことに驚き、俺が男性の顔に視線を向けると、男性は真剣な表情で俺を見つめていた。

『もう己を卑下するのはやめよ』

「え？」

予想だにしていなかった言葉に俺が呆《ほう》ける中、男性は言葉を続ける。

『余と出会ってから、貴様は常に己を卑下し続けていた。何故、貴様がそのような性格になったのかは知らぬし、興味もない』

「……」

『しかし、貴様が余の課した試練を乗り越えたのは、紛れもない事実である』

「！」

見る者を圧倒させる気を放ちながら、男性はそう言い放った。

『余の試練は、生半可な覚悟で達成できるものではない。それを乗り越えた貴様が、己を卑下するということは、余のことを侮辱しているも同然だ。……余だけではない。貴様をここまで強くしてくれた者も侮辱するつもりか？』

「そ、そんなことは！」

『ないと言うのであれば、胸を張れ！　貴様は余の試練を乗り越え、余のすべてを受け継ぐ正統な後継者となったのだ！』

「――――」

改めてそう告げられた言葉は、俺の胸に深く刻み込まれた。

言葉を失う俺に対し、男性の気配が柔らかくなる。

『まあ今すぐに、というのは難しかろう。だがもしまだ自信が持てないと言うのであれば、いつでも余の言葉を思い出すがいい』

「……胸に刻みます」

俺が神妙に頷《うなず》くと、男性は笑みを浮かべた。

『フッ……よい顔だ。――刀真よ、一つ訊《き》こう。短い時間ではあったが、貴様の拳術の師と同じように、余は……貴様にとって、よい師であれたか？』

「はい！」

『そうか……最後に貴様のような子孫を……弟子を持てたこと、誇りに思うぞ――』

そして、男性は優しく微笑《ほほえ》み、姿を消したのだった。

男性を見送り、俺が呆然《ぼうぜん》とその場に立ち尽くしていると、突然、洞窟全体が激しく震動し始めた。

「こ、これは……！」

しかも、その揺れはどんどん大きくなり、このままだと洞窟が崩れてしまうだろう。

その上、俺の肉体は洞窟の入り口に転がったままなのだ。

「くっ！　このままじゃ、洞窟の下敷きに――――!?」

そう言いかけた瞬間だった。

突如、俺の体が何かに勢いよく引っ張られた。

それはまるで、巨大な渦に飲み込まれるかのように強い力で、とても耐えられるものではなかった。

「な、何が起き……!?」

少しでも抵抗しようとしたが、結果的に耐える間もなく俺の体は引っ張られた方向に飛んでいった。

それと同時に俺の意識も強制的に遠のいていき、気づけば視界は暗転してしまった。


「はっ!?」

そして目が覚めると、俺は自分の肉体に戻ってきたことに気づく。

「い、今のは……体に引っ張られていた感覚なのか……？」

呆然と自分の体を見下ろす俺だったが、ふと背後から洞窟が崩れ落ちる音が聞こえ、今が危険な状況にあることを思い出す。

「っ！　ひとまずここから出ないと……！」

俺は慌てて洞窟から飛び出すと、崩落に巻き込まれぬよう、その場から離れる。

背後で岩山が丸ごと崩れていく気配を感じていると、洞窟は完全に崩れ去ってしまった。

突然の状況に困惑しつつ、俺が崩れ落ちた洞窟に目を向けると、ふと瓦礫《がれき》の一部に文字が刻まれていることに気づいた。

あれは……俺が気づかなかっただけで、最初から洞窟のどこかに書かれてたのだろうか？

そんなことを考えながら、何気なく瓦礫の文字を読み上げる。

「刀身……一如……？　ッ⁉」

その瞬間、俺の視界が再び暗転した。

＊＊＊

気づけば夜になり、雨が降っている。

だが、俺の体は雨に濡《ぬ》れていなかった。

それはまるで、先ほどまで俺が精神体だった時と同じような状況だった。

「(なんだ……？　ッ！)」

自分の体を確かめていると、不意に背筋が凍り付くような気配に襲われる。

慌てて気配の主を探し、視線を彷徨《さまよ》わせると……そこには『魔』が立っていた。

全身から溢《あふ》れ出《で》る気配は禍々《まがまが》しく、その闘気や魔力が可視化できるほど濃密で、あらゆる『魔』という存在が結集し、人型となったような存在だった。

そんな存在を前に、俺は体の震えを抑えることができなかった。

ふたりの師匠のおかげで多少は力を得た自信を持っていたが、目の前の『魔』に対抗できる気が全くしなかったのだ。

戦えば、一瞬で俺は殺されるだろう。

まさに——『極魔《きょくま》』。

すべての魔を極めたような存在を前に俺が目を見開いていると、その極魔に相対するように一人の男性が現れた。

その男を目にした俺は、さらに驚くことになる。

何故《なぜ》ならその男こそ、先ほど洞窟で出会った男性に他ならなかったからだ。

男性は極魔と相対すると、獰猛《どうもう》な笑みを浮かべる。

『フッ……ずいぶんと暴れまわったようだが……ここで終わりだ』

『グゥウウ……ガアアアアアア！』

極魔は全身から身の毛もよだつ波動を放つと、魔力と闘気で強化した俺の眼《め》でなんとか捉えられる速度で男性へと襲い掛かった。

その攻撃に対し、男性はあの白銀の刀……皇刀を手に、応戦する。

最初こそ極魔が圧倒しているように見えたが、それは俺の間違いだと気づく。

男性は序盤、極魔の動きをじっくりと観察していたから防戦一方に見えただけで、その観察が終わった瞬間、攻守が逆転したのだ。

『フッ！』

『グアアアアアアア！』

男性の刀が閃《ひらめ》き、青い閃光《せんこう》が走ると、極魔の体から血飛沫《ちしぶき》が飛んだ。

極魔は体を斬られるたびに、血液だけでなく、その身に宿す禍々しい気配をも放出していく。

そして、男性が圧倒し始めたところで、俺は今の男性の動きが、俺と初めて戦った時と同じものであることに気づいた。

まるでこの身に流れる刀術の手本を見せるように、男性はすべての技を駆使して戦う。

それらは俺が男性から直接伝承された技であるものの、その威力や速度は間違いなくこの戦闘で使われている方が遥《はる》かに上だ。

これが、あの男性の本気の戦闘。

一つ一つ、俺が伝承された技を改めて紹介するように、男性は的確に極魔の体を斬り裂いていく。

そして、最後には極魔は膝をつき、動くことができなくなった。

『ガ……グガガガ……！』

『――――終わりだ』

上段に構えていた男性は、恐ろしいほど静かに刀を振り下ろす。

それは攻撃とは思えぬほど、何も感じさせない一撃だった。

男性の一撃を受けた極魔は、そのまま砂が崩れるように消えていく。

その光景を目にしたところで、俺の視界は再び暗転した。

＊＊＊

「……はっ⁉」

気が付くと、そこは先ほどと変わらぬ崩れた洞窟の前。

慌てて洞窟の瓦礫からあの文字を探すと、まるで最初からなかったかのようにそれは消えていた。

どうやら俺は、あの文字を読んだことで、この地に刻まれた記録を見ることができたのだろう。

「ッ⁉」

その瞬間、俺の体の中に大きな力が確かに根付くのを感じた。

恐らく、男性から伝承した技術が完璧に体に馴染《なじ》んだのだろう。

この記録がなければ俺は数々の技術を不完全なまま伝承していたはずだ。

それはまさに、あの男性による伝承者への最後の贈り物。

……正直、まだ混乱してる部分はある。

とはいえ、今の光景を目にしたことで、確信した。

「……初代様の御力《おちから》、この護堂刀真がしかと受け取りました」

――この地に封じられていたのは、初代皇帝陛下の神念だったのだ。

俺はその場に跪《ひざまず》くと、深く頭を下げるのだった。

＊＊＊

――初代皇帝陛下との邂逅《かいこう》から数日後。

俺は師匠の【覇天拳】に加え、陛下の刀術――【降神一刀流《こうじんいっとうりゅう》】の修練にも励んでいた。

陛下の刀術はその名の通り、神をも降《くだ》す一太刀。

あの極魔との戦いを見た今では、それも信じられる。

ただ、今の皇室……陽龍家に伝わっている刀術は、確か別のものだったはずだ。

事実、初代皇帝陛下も今まで自身の技術を伝えられる相手がいなかったと言っていた。

とはいえ、何らかの方法で陽龍家が【降神一刀流】を再現している可能性もある。

……こればかりは確認のしようがない。

何はともあれ、受け継いだ以上、俺はその技術を磨くのみだ。

それと同時に、洞窟が崩れる前に陛下の口にしていた言葉の意味を身をもって実感することになった。

――陛下と極魔の戦いを見たあと、俺の体に異変が訪れたのだ。

まるで長い年月休みなく修行し続けていたように、体が悲鳴を上げたのだ。

「ぐっ⁉」

「ぐっ……くっ……があああああああ！」

その痛みは凄《すさ》まじく、師匠の手で魔脈を開通させた時以来の激痛だった。

全身の筋肉や神経が擦り切れる感覚に陥りながらも、俺は必死に治癒術を発動させ、何とかその激痛に耐え抜く。

これこそが陛下の言っていた、精神に肉体が引きずられる、ということなのだろう。

濃密な修行をした俺の精神に、肉体が追い付こうとした結果が、この激痛だったのだ。

かなり長時間、体中を襲う激痛と戦った俺だったが、その甲斐あって、俺の肉体には陛下と修行した成果がしっかりと根付いていた。

とはいえ、あの苦痛を味わうのは二度とごめんだ。

こんな痛みを感じるくらいなら、堕飢に食われた方がマシと思えるほどの痛みだったからな。

そんなことがありながらも、俺も命刀を手にすることができた。

正確には、こちらも陛下から受け継いだものになるのだが、今は俺の命と確かな結びつきを感じる。

＊＊＊

――――皇刀。

王刀は耳にしたことがあるが、この皇刀は初めて聞くものだった。

王刀には、俺たち刀士の家系に生まれた子供たちの命刀を発現させる力がある。

つまり、皇帝陛下が王刀を振るうことで、刀士の子供たちは命刀を手にし、新たに刀士としての道を歩み始めるのだ。

とはいえ、刀士の家系以外でもごくまれに命刀を発現させる者もいるため、毎年、皇帝が住まう宮殿に三歳、五歳、七歳となった子供たちが集められ、その前で王刀が振るわれるのだ。

これを【王選祝福】と呼ぶ。

刀士にとっては重要な儀式であり、農民にとっても皇帝陛下からの祝福という意味で、王選祝福は陽ノ国で最大かつ最重要な行事なのだ。

その結果……刀士の家系でありながら、俺だけ命刀を発現することができなかったわけだ。

そんな俺が、初代皇帝陛下から命刀を受け継いだのだ。

初代皇帝陛下の命刀ということで、王刀のように強力な能力が付与されているのではないかと、少し期待したが……今の俺が発動できる皇刀の効果はただ一つ。

——決して折れない、ということ。

ただそれだけだ。

他にも能力があるようだが、それが何なのかは今の俺には分からない。

現時点でのこの能力は、他の命刀に比べあまりにも地味なものなのだが……同時に納得もした。

神念という形とはいえ、実際に初代皇帝陛下とお会いした今、あの方が命刀の能力に頼るとは思えなかったからだ。

事実、洞窟での修行や、あの極魔との戦いで、陛下は皇刀の能力を一切使っていなかった。陛下にとって、『折れない』以外は余計な能力なのかもしれなかった。

そういう意味では、決して折れないという能力は、陛下の降神一刀流を扱う上ではこれ以上ないものだろう。

普通の刀であれば、陛下の刀術に耐え切れず、壊れることが予想されたからだ。

ともかく、新たな力を身に付けるべく、修練を続ける中、同時に、俺は迷っていた。

それは、これからのことについてだ。

師匠は俺に、好きにしなさいと言ってくださった。

だが、今の俺は、師匠と陛下から受け継いだ技術を極める以外に、特に求めるものがないのだ。

――いや、それではダメなのは分かっている。

師匠たちが己の生きた証《あかし》を俺に伝えてくれたように、俺にもまた、師匠たちの技術を誰かに伝承する責任がある。

別に俺が学んだ技術を誰かに伝えず生涯を終えようとも、師匠たちは何も言わないだろう。

しかし、それではダメなのだ。

俺が師匠たちから受けた恩を返すためにも、師匠たちが生きた証を、この世界に残していきたい。

もちろん、むやみやたらと教え広めるつもりはない。

俺が手あたり次第伝承した結果、悪人に師匠たちの技術が使われるなど、あってはならないからな。

何にせよ、俺には師匠たちの技術を極め、伝承する使命がある。

……だというのに、こうも悩んでいるのは――外の世界に飛び出すのが怖いからだ。

今の俺ならば、この島から脱出するのは簡単なことだろう。

しかし、その先にある外の世界が、怖かった。

どこにも俺の居場所がないんじゃないかと……そう考えてしまうから。

あと一歩、この島の外に踏み出す勇気が出ない――そう、思っていた時だった。

＊＊＊

今日の食事を得るため、俺は浜辺にやって来ていた。

この浜辺こそ、師匠と初めて出会った場所であり、俺がこの世を生き抜くと誓った場所でもある。

そんな思い出の地を感慨深く眺めていると、いつもとは違うことに気づいた。

「あれは……？」

周囲に散らばる白骨体とは別に、何かが浜辺に打ち上げられていたのだ。
俺が少し警戒しながら近づくと、それが人間であることに気づく。
そこから慌てて近づくと、その人間の姿に驚いた。
なんと、その人間は黄金のような髪と、見慣れぬ衣服を身に纏《まと》った女性だったのだ。
こんな人間が陽ノ国を歩いていれば、噂《うわさ》にならぬはずがないのだが……。
よく見ると、歳《とし》も俺と近そうに思える。
すぐに女性の状態を確認すると、気を失っているだけだと分かった。
「……目立った外傷などはないな」
とはいえ、このまま放置しておけば体が冷えてしまう。
俺は、師匠から防寒用にもらっていた羽織を女性に被《かぶ》せ、ひとまず森の方まで運んだ。
その道中、食用可能な植物や果物を集めておく。
いくつかの果物を入手すると、今度は草を集め、寝床を作り、そこに女性を寝かせる。
そこから手ごろな木々を斬り倒し、薪を作ると、俺は指先に魔力を集めた。
「――――火よ」
そう唱えると、俺の指先に小さな火が灯《とも》る。
……師匠との修行で魔法のことも多少は学んだが、天魔体による膨大な魔力の制御が難しく、未《いま》だに二節以上の魔法は上手く使えなかった。

体に纏わせたり、体内で循環させるだけならば、修行の成果もあり、簡単にできるのだが、そこから魔力を放出する作業が苦手なのだ。

指先の火を薪に移すことで、焚火《たきび》にする。

ある程度落ち着いたところで、俺は改めて女性に目を向けた。

「この人は……どこから来たんだ？」

少なくとも陽ノ国の人間ではなかろう。

となると……海の向こうにあるという、大陸の人間だろうか？

陽ノ国以外に国があることは、師匠を通して知っていた。

とはいえ、実際に目にしたことはないので、どんな場所なのかは想像もつかない。

この女性のように、不思議な姿の人間がたくさんいるのだろうか？

そんなことを考えていると、女性の呼吸に変化が起きた。

「うっ……ん……？」

「目が覚めましたか」

「ッ！」

なるべく警戒させぬよう声をかけたつもりだったが、女性は瞬時に跳び上がり、掌《てのひら》をこちらに向けた。

よく見ると、その掌には魔力が集中しており、詠唱すればすぐにでも魔法を放てるだろう。

だが、警戒されるのはある程度予想していたため、さほど驚かず、落ち着いてもらおうとした瞬間だった。

『――!?――――!』

「……」

――女性の言葉が、分からなかった。

第三章

私……リーズは、窮地に立たされていた。

「ようやく貴様を見つけることができたよ」

十数人の男たちが私を囲むように武器を構えている。

ただ、男たちの様子は普通じゃない。

皆一様に目が赤く光っており、まるで操られているかのように虚《うつ》ろな表情を浮かべていた。

私は商船の縁《へり》まで追い詰められ、背後は荒れる海。

陽ノ国に向かう海域では大嵐になることが多く、今乗り込んでいるような巨大な商船でなければ陽ノ国にたどり着くことさえできない。

そして今、運が悪いことにその大嵐の日だった。

一応、何かのためにと、マジックバッグには携帯型魔導船を収納していたが、今の海で出現させても、小型の携帯型魔導船では一瞬で海の藻屑《もくず》となるだろう。

それに、仮にここが穏やかな海だったとしても、魔導船に乗り込もうとした瞬間を狙われたり、そもそも船の性能の差ですぐこの商船に追いつかれてしまうだろう。

そんな中、船の上にどこからともなく薄黒い靄《もや》のようなものが漂い始めた。

「アンタは一体、何者よ！」

男たちが武器を向けてきたのは突然のことだった。

ギルドの依頼で陽ノ国に向かう商船の護衛を受け、こうして海に出るまでは何も問題がなかった。

しかし、陽ノ国に近づくにつれ、海が荒れてきたところで突然乗組員や商会の人間たちが武器を構え、私に向けてきたのだ。

すると、他と違ってただ一人、正常な様子の男が口を開く。

「ここで死ぬ貴様が、それを知る必要はない」

「何ですって……？」

男はこれ以上の問答は無用だと言わんばかりに、操っている人たちに指示を出した。

「さあ、殺せ」

その瞬間、彼らは手にした武器を私に振り上げる。

「くっ……雷よ、縛れ！『雷縄《らいじょう》』！」

私がすぐさま魔法の詠唱をすると、雷の縄が出現し、近づく男たちの体を締め付ける。

縄に拘束された男たちの体内を雷が駆け巡ると、一瞬だけ体を硬直させたのち、そのまま気を失った。

しかし、その隙に別の乗組員たちが私に襲い掛かり、慌てて再び魔法を発動させる。

これが盗賊だとか、目の前の男の仲間だとかって言うんなら、遠慮なく相手を殲滅《せんめつ》することができる。

しかし、今私に襲い掛かってる人間は、どう見ても主犯の男に操られているようで、普通じゃない。

主犯の男と無関係である以上、彼らを傷つけるわけにはいかなかった。

それに、私が上手《うま》く戦えないのには、もう一つ理由があった。

するとそんな私の様子に、男は愉快そうに笑う。

「ククク……A級冒険者ともあろう者が、ずいぶんと苦戦しているなぁ？」

「くっ！」

それは、船に漂う黒い靄が原因だった。

というのも、先ほどから私が魔法を発動させようとするたびに、この黒い靄が魔力の流れを阻害し、魔法を上手く発動することができないのだ。

もし私が誰かとパーティーを組んでいたら、これほど苦戦することはなかったかもしれない。

でも、とある理由から、私は誰かとパーティーを組むことがどうしてもできなかった。

だからこそ、一人でどんな強敵とも戦えるように力を付けてきたはずなのに……！

「フッ。てっきり仲間くらいはいるかと思ったが……まさか一人だけとはな。まあ私としては、その方が楽で助かるが……」

「舐《な》めるんじゃないわよッ！」

私は乗組員たちの攻撃を制しつつ、男にも魔法を仕掛けるが、周囲に漂う黒い靄がまるで男を護《まも》るように、私の魔法を防いでしまうのだ。

くっ……魔力が万全に使えれば、あんな男、簡単に倒せるのに……！

悪条件の中、何とか魔法を駆使し、襲い来る乗組員たちを制圧していると、主犯の男が鼻を鳴らす。

「フン。ずいぶんと足掻《あが》くな」

「！」

男がこちらに指を向けた瞬間、その指先から黒色の閃光《せんこう》が放たれる。

それは真っすぐこちらに飛来し、私を貫こうとした。

「『シールド』ッ！」

咄嗟《とっさ》に防御魔法を展開した私だったが、詠唱破棄したことで威力が落ち、私の防御魔法は男の攻撃をわずかな時間しか防ぐことができなかった。

しかし、そのわずかな隙を逃さず、私は船上を転がるようにして黒閃を避ける。

すると、黒閃は先ほどまで私が立っていた位置を貫いた。

そして、その攻撃を目にしたことで、目の前の男の正体が分かった。

「この魔法って……まさか、魔族⁉」

最初はただの闇属性魔法かと思ったが、貫かれた甲板の部分から立ち上る禍々《まがまが》しい気配が、まったく別のものだと物語っていた。

——その魔力に触れた物はすべて朽ち果て、死に至る。

それはとあるおとぎ話で語られる、魔族が扱う魔法の描写だ。

だが、あくまでそれはおとぎ話の中での話であり、現実に魔族が存在するなんて聞いた

ことも ない。

だからこそ、私がとても信じられないでいると、男の顔から表情が消えた。

「……やはり貴様の一族は危険だ。一瞬とはいえ、我らの魔法を防ぐとは……」

「そんな……」

まさか、本当に魔族だとでも言うのだろうか。

男には色々と問いただしたいことがあったが、まずはこの状況を脱する必要がある。

すると、魔族の男はため息を吐《つ》いた。

「はぁ……貴様も両親と同じように、大人しく死ねばいいものを……」

「なん、ですって……？」

魔族の言葉に、私の頭は真っ白になった。

何故《なぜ》なら、かつて、私の家族は信じていた家臣に裏切られ、殺されたのだから。

魔族など、関係ない、はずなのに……。

「いやはや、人間とは実に愚かな生き物よなぁ？　少し力を与えてやれば、長年仕えた主《あるじ》が相手だろうが、簡単に裏切るのだから！」

「――――」

つまり、家臣は魔族と裏で繋《つな》がったから、私たち家族を……？

「どうして……どうして私たちなのよ……⁉」

私は溢《あふ》れ出る怒りを抑えきれず、そう叫んだ。

すると、魔族の男は冷笑を浮かべる。

「それは、貴様ら一族が、我ら魔族にとって邪魔だからだ」

「なっ⁉」

私たちが何故、魔族にとって邪魔なのか。

私たちはただ、平和に暮らしていただけなのに……！

「許さない……！」

「ほう？　それならばどうする？　貴様はもう、逃げることもできんのだぞ？　それとも、この状況で私に勝てるつもりでいるのか？」

男の言う通り、今の私は絶体絶命だ。

目の前には操られた人たちと、実力が未知数の魔族の男。

背後には激しい海流が渦巻き、獰猛《どうもう》な魔物が生息する海が広がっているのだ。

しかもこの大嵐のせいで船の甲板に立っているのもやっとだ。

それに戦おうにも、黒い靄のせいで魔法も上手く扱えない。

どうしたって私が生き延びるのは絶望的だろう。

それでも、私が生き延びるとしたら……。

私は一瞬、背後の海に視線を向ける。

陽ノ国の周辺は非常に海流が強く、特定の航路やある程度の大きさを誇る船でなければ海を渡ることは非常に困難とされている。

……一か八かね。

覚悟を決めた私は、船の縁に足をかけた。

「正気か？　そこから海に飛び込んだとして、生き延びられるとでも？」

「ええ、そうかもしれないわね。でも私は、生き抜いてみせる。そして、絶対にアンタらに復讐《ふくしゅう》してやるわ！」

私はそう叫びながら、海に身を投げた。

そして次の瞬間、荒れ狂う波が私を飲み込んでいく。

薄れゆく視界の中、船の上から冷たく私を見下ろす魔族が見えた。

「フン。馬鹿な女だ。まあ殺す手間が省けたと考えればよいか。あとは我が主に報告を――」

そんな言葉を最後に、船は私から遠く離れていった。

「絶対に……生き延びて、やる……！」

――そこからは、どうなったのか、よく覚えていない。

海に飛び込み、激しい海流に攫《さら》われたところで、ようやく黒い靄の効果から抜け出した私は、薄れゆく意識の中、少しでも生き残れるように様々な魔法を行使したように思う。

とはいえ、具体的にどんな魔法を使ったかは覚えていないし、何よりあの荒れる海の中ではまともな詠唱などできるはずもなく、発動できていたとしても、せいぜい詠唱破棄した弱々しい魔法程度だろう。

そして、私が目を覚ますと、青々とした木々が目に飛び込んできた。

それをぼーっと眺めていると、不意に声がかけられた。

「目が覚めましたか」

「ッ！」

突然聞こえた男の声に、私はすぐに飛び起きると、声の主に手を向けた。

一瞬、黒い靄のことが頭を過《よぎ》ったが、魔力は私の体内を問題なく循環しており、詠唱すればすぐにでも魔法が放てる。

「アンタは誰⁉ 答えなさいッ！」

「……」

警戒しながら言い放ったところで、私は目の前の人物の姿をしっかり確認した。

その人物は、異国の男……陽ノ国の人間のように見えた。

艶やかな黒い長髪が一つに束ねられ、涼し気な瞳が困惑したようにこちらを見ている。

その上、女の私から見ても、目の前の男はゾッとするほど美しい顔立ちで、どこか超俗的な気配を放っていた。

どう見ても普通じゃない……そう思いながら見つめていると、あることに気づく。

この男……気配がまるでない……⁉

なんと、目の前の男からは、まるで気配というものが感じ取れなかった。

A級冒険者の私が、人間の気配を感じ取れないなんて……。

だからこそ、声をかけられるまでこの男の存在に気づかなかったのだろう。

ともかく、ここがどこで、コイツが何者か分からない以上、警戒を緩めることはできない。

すると、男は少し困った様子で頬をかいた。

「これは……困ったな。言葉が通じないか……」

「え?」

男の言葉に、私は首を傾《かし》げる。

何故なら、私は男の言葉をちゃんと理解できているのだ。

しかし、どうやら男は違うようで、どうしたものかと頭を悩ませている。

確かに、陽ノ国と私の住むアールスト王国を含む大陸では、言語が違った。

だが、交易が始まり、言葉が通じなければ交渉ができないという理由から生み出されたのが、私の右手にも装着している『言語の指輪』である。

最初こそこの指輪は非常に高価なものだったが、今は大量生産できるようになり、陽ノ国にも広まっているはずだ。

とはいえ、言葉が通じなければ何もできないので、私はマジックバッグからスペアの指輪を取り出し、男に投げた。

「ん? これを……嵌《は》めればいいんですか?」

私が頷《うなず》くと、男は警戒した様子もなくあっさりと身に着ける。

普通ならば、見知らぬ人間から渡されるアイテムに多少の警戒心を見せるだろうが、男は躊躇《ちゅうちょ》なくそれを指に嵌めた。

これは男が世間知らずなのか、底抜けのお人好《ひとよ》しなのか……どちらにせよ、私にとっては好都合である。

少なくとも、私を狙っている者の一味ではないだろうから。

男が指輪を装着したところで、私は改めて口を開く。

「それで、アンタは誰？　それと、ここはどこ？」

「おお……急に言葉が……っと、すみません。私は護堂刀真。ここは極魔島……と言って伝わりますか？」

「極魔島……それに護堂って確か、陽ノ国の名家じゃ……？」

私がそう口にすると、男……刀真は寂しそうに笑った。

「……確かに、護堂家は陽ノ国の皇族に近い家柄ですが……もう、私には関係ありません。どうか刀真とお呼びください」

何やら込み入った事情があるようだが、今はそれを聞いてる場合じゃない。

「極魔島って言ってたけど……それって確か、陽ノ国の超危険地帯よね？」

「ええ」

「ど、どうしてそんなところに……」

すると、刀真は苦笑いを浮かべる。

「それこそ私が聞きたいくらいです。貴女《あなた》が極魔島の砂浜に打ち上げられていたので、ひとまずここで寝かせていたんですよ」

「あ……」

そう言われて、ようやく私は色々と状況を察した。

よく見れば、私が寝かされていたであろう草や、私のために使われていたであろう羽織など、この刀真という男が親切心で私を助けてくれたことは分かったはずだ。

もしあの魔族の手先なら、私が気を失っている間に連れ去ることもできたし、悪いことを考えているのなら、それこそ私が目を醒《さ》ます前に色々できただろう。

だが、私の体には特におかしな点もなく、純粋に男に助けられただけのようだった。

……本当に自分が情けない。

頬が熱くなるのを感じつつ、私は頭を下げる。

「そ、その……ごめんなさい。助けてもらったのに……」

「いえ、状況が状況ですから。警戒するのは当然でしょう」

ふわりと笑うその様子に、私はますます申し訳なさを感じた。

「えっと……ありがとう。それと、歳《とし》も近いみたいだし、敬語じゃなくてもいいわよ。その方が私も気が楽だから」

「そう……か？　なら、いつも通りの口調でいかせてもらおう」

どこか無骨な印象を受ける口調に少し驚いたが、刀真は改めて口を開く。

「それで、貴女は一体、何者なんだ？」

「あ！　ご、ごめんなさい。私はリーズ。アールスト王国のA級冒険者よ」

ごく普通の自己紹介をしたつもりだったのだが……。

「アールスト王国？　冒険者？」

――刀真は首を傾げた。

＊＊＊

俺はリーズと名乗った女性の言葉に、首を傾げた。

――最初、目を覚ました彼女は警戒した様子を見せ、俺に何かを訴えていたが、その言葉が俺には分からなかった。

すると、彼女は腰につけられた鞄《かばん》から、一つの指輪を取り出し、俺に投げ渡してきた。

瞬時に魔力と闘気で指輪を確認すると、その指輪には特に悪い気は感じられず、何かの能力を補助する働きがあることが分かった。

なので、リーズから指輪を着けるように促され、すぐに装着したところ、不思議なことに彼女の言葉が理解できるようになったのだ。

そこからここがどこで、俺が誰なのか、そしてリーズのことも聞いたのだが……。

アールスト王国も、冒険者という職業も、聞いたことがなかった。

恐らく師匠から聞いていた、大陸の人間なのだろうが……一つ疑問がある。

それは、彼女が陽ノ国のことを詳しく知ってることだ。

なんせ、護堂家のことや、極魔島のことを知っているのだ。噂《うわさ》で聞いた程度の知識ではありえない。

「申し訳ないが、俺はアールスト王国というものや、冒険者という単語にも聞き覚えがない。しかし、リーズは陽ノ国のことを知っていると……」

すると、リーズは恐る恐る訊《き》いてきた。

「その……『言語の指輪』のことも知らなかったようだけど……貴方《あなた》、この島に何時《いつ》からいるの？」

「この島にはかれこれ七年ほどいるな」

「七年⁉」

改めて自分で口に出してみて思ったが、かなり長いことこの島で過ごしたものだ。

思わず俺が感傷に浸っていると、リーズは納得したように頷いた。

「なるほどね……それなら知らなくても無理ないわ……」

「ん？　どういう意味だ？」

「ここ数年の間に、貴方の住む陽ノ国と、私の住むアールスト王国は交易を始めたの。だから、今の陽ノ国には私みたいな大陸の人間が結構いると思うわ」

「何と……」

俺が知らない間に、そんなことになっているとは……。

それならば、今の陽ノ国にはリーズのような者たちが多く歩いているのだろうか？

ひとまず新たな情報を得たところで、俺はリーズに訊《たず》ねる。

「それで、リーズはこれからどうするんだ？」

「え？」

「何があったのかは分からないが、ここに来たのはリーズにとって予定外のことなのだろう？　陽ノ国か、アールスト王国に帰るのか？」

「あ……できるならそうしたいけど……っ！」

「おっと」

するとリーズは不意によろめいた。

すぐに体を支え、俺は彼女の気の流れを確かめる。

「……傷はないが、気が乱れているな。少し待っててもらえるか？」

「え？」

「すぐ戻る」

俺はそっとリーズを座らせながら、目に魔力と闘気を集中させ、森の中を見つめる。

そして目的の獲物を見つけると、今度は足に魔力と闘気を集め、獲物の位置まで一息で移動した。

そいつは森の中間あたりにおり、別の妖魔を仕留め、食《く》らっている。

その隙を突き、俺はそいつの背後に音もなく忍び寄ると、そのまま手刀に闘気を纏《まと》わせ、妖魔の首を切り落とした。

すぐにその妖魔の体を持ち抱えると、再びリーズの元へ一息で戻る。

「待たせたな」

「い、いえ、待つも何も、一瞬だった――――って⁉　あ、アンタ、その、く、熊の魔物は何よ⁉」

リーズは俺が抱えてきた妖魔を指さし、目を見開いた。

ただ、その質問への返答には少し困ってしまう。

「すまない、俺もこの妖魔の名は知らないんだ」

「知らない⁉」

リーズの言う通りこいつの見た目は熊のようだが、その大きさはまるで違う。

ちょっとした小山を思わせる巨体に、異常に発達した太い爪。

今回は森の中に置いてきたが、顔は凶悪で、額には三本角が生えている。

師匠もこの島に生息する妖魔のことは知らなかったようで、この熊擬《もど》きは『三角熊《みつつのくま》』と呼んでいた。安直だが、分かればそれでいい。

それよりも、俺はこの三角熊を妖魔と呼んでいたが、リーズたちは魔物と呼ぶらしい。

そういえば、師匠もそう言っていたか。大陸では共通の認識なのだろう。

「そ、そんな巨大な熊の魔物を一瞬で倒してくるなんて……一体、何者なのよ……」

確かにこの三角熊は強い方だが、ここまで驚かれるとは思わなかった。

ともかく、今はこの妖魔の臓腑《ぞうふ》に用がある。

コイツの臓物には滋養強壮効果があり、食せば気を安定させることができるのだ。

俺は妖魔の巨体を無属性魔法で持ち上げ、空中に固定すると、剣指を作って軽く闘気を纏わせ、腹を掻《か》っ捌《さば》いた。

そして、そこから目的の臓物を取り出すと、別の手で水を生み出し、よく洗う。

それから臓物を自作の擂《す》り鉢に入れ、擂り潰すと、この島に生えているいくつかの薬草を投入し、再び擂り続けた。

すると、だんだん臓物と薬草が絡《から》み合《あ》っていき、色が均一になったところで、練り合わせた薬が完成した。

この薬もまた、師匠から学んだものの一つである。

「これを飲むといい」

「え」

「味はともかく、効果は保証する」

「う、嘘《うそ》でしょ⁉　こ、こんなもの、飲めるわけないじゃない！」

リーズはあり得ないといった表情で俺の作った薬を拒絶した。

「そ、そうか……すまないな。もちろん、無理強いはしない」

「あ……そ、その、ごめんなさい。ただ……私には刺激が強すぎるというか……私のために、わざわざありがとう」

どこか慌てた様子でリーズはそう口にする。

確かに、初見でこれを飲むというのは中々に厳しいだろう。俺も配慮が足りなかった。

俺は思っていた以上に、人恋しかったのかもしれん。驚くほどに舞い上がってるな。

まあその結果、空回りしてしまっているわけだが。

とはいえ、このまま薬を放置するのももったいないので、自分で飲むことにした。滋養強壮効果なので、特に俺が飲んでも問題ない。

すると、リーズはそんな俺の様子に目を見開く。

「あ、貴方……よく飲めるわね……？」

「慣れてるからな」

昔から兵糧丸《ひょうろうがん》生活を続けてきたのだ。今さらこのような薬では何とも思わない。

何なら、師匠と修行を始めてからも、兵糧丸はよく摂取していた。

兵糧丸は味や臭いこそ最悪だが、栄養補給という点ではこれ以上ないほど効率的なうえ、極魔島にも素材があり、作るのが簡単だったからだ。

まあ修行の中で倒した妖魔も、いくつか口にしているが、この地には調理道具もなければ俺に調理の腕もないので、所詮は丸焼きである。

薬を飲み終えると、俺は改めてリーズに訊ねた。

「それで、これからどうするんだ？」

「……当然、帰れるなら帰りたいわ。でも、陽ノ国の周辺の海流は激しくて……特にこの極魔島と言えば、陽ノ国でも随一の激しい海流で囲まれてるらしいじゃない。どうやってもこの島からの脱出は不可能よ。だから貴方もここにいるんでしょ?」

「……」

俺はリーズの言葉になんと返せばいいか迷った。

確かにこの島に来た当初は、リーズの言う通り島から脱出するなど不可能だった。

しかしこの七年間、鍛錬を続けてきたおかげで、俺は島から出る分には特に問題ないほどの実力を身に付けることができていたのだ。

ただ、あくまで脱出するだけならの話である。

陽ノ国の方角も分からなければ、大陸の方向も分からないのだ。

「もし俺が、この島を脱出できると言えば、君は国まで帰ることができるか?」

「え?」

俺の問いかけに、リーズは一瞬呆気《あっけ》にとられるも、すぐに答える。

「そ、そりゃあこの島を脱出できるなら、携帯型魔導船もあるし、国の方角も分かるから……いえ、やっぱり無理よ。脱出できたところでここら辺の海域はとても荒れてるし、何より海の魔物が出たらどうしようもないわ。それに、この島からの脱出は不可能だって言ったでしょ?」——

「……それでは、このままここで過ごすのか？」

「……」

悔しそうに顔を歪《ゆが》めるリーズ。

彼女の表情から察するに、何とかしてでもここから脱出しないといけない理由があるのだろう。

しかし、現状、リーズにはこの島を脱出する手段が存在しない。

それが分かっているからこそ、リーズも否定的な言葉を並べている。

だがそれでも、彼女の目には意地でもここから脱出しようという、強い意志が感じ取れた。

諦めるしかない状況でも、決して諦めないという強い意志が。

俺はリーズの強い意志に触れ、考える。

師匠の試練も、初代皇帝陛下の試練も終えた俺には、この島に留《とど》まる理由は特にない。

強いて言えば、一人で落ち着いた修行ができることだろうか。

しかし、それだけである。

俺はただ、自分に言い訳を並べ、この島の外に出ない理由を探していた。

それは外の世界が怖いから。

一人で島を飛び出す勇気が、なかったのだ。

――だが、師匠は言っていた。

この世界は素晴らしく、それを見て回らなかったことを後悔していると。

そして、目の前には俺とは違い、絶望的状況であっても、この島から抜け出そうとするリーズの姿がある。

もしかすると……これもまた、運命なのかもしれないな。

「はぁ……転移魔法のスクロールでもあれば……」

「――リーズ」

「っ！　な、何かしら？」

「俺が君を、送り届けよう」

「……え？」

＊＊＊

リーズの言っていた携帯型魔導船とは、ちょうど二人乗りくらいの小さい船だったが、俺の知る帆船とは形が異なっていた。

聞いた話によると、どうやら魔力を動力にして動くため、風向きなどに左右されず、航行することができるそうだ。

しかし、激しい海流や向かい風にはかなり弱いらしい。というのも、その流れに逆らおうとすればするほど、魔力の消費量が大きくなるため、安定した航海ができなくなるそうだ。

そんなことを考えながら俺が魔導船を観察していると、リーズが焦《あせ》った様子で言う。

「ほ、本当に大丈夫なんでしょうね⁉」

「ああ、心配ない」

最初は無謀だと躊躇《ためら》っていたリーズだが、やがて何かを思い直したように、航海に踏み切った。

どうせこの島で朽ちるなら、いっそ一か八か賭けて海に飛び出そうと思ったのだろう。

豪胆な性格だ。

しかし、リーズの心配しているようなことは起きないし、起こさせない。

船の操縦こそリーズに任せるが、護衛という形であれば、完璧にやり遂げよう。

すると、しばらく迷っていたリーズは、決心したのか魔導船に魔力を流し込んだ。

「ああ、もう！　どうにでもなれッ！」

そして、極魔島を囲む巨大な渦潮へと向かっていく。

また、その渦潮の他にも、この海域自体が凄《すさ》まじい海流で覆われているため、俺たちの船は大きく揺れた。

「や、やっぱり無理よ！　波が強すぎて……沈むわよ⁉」

「……」

荒れ狂う波に晒《さら》され、今にも転覆しそうになる船。

そんな中、俺は船首に立ちながら、眼前に広がる渦潮を眺めていた。

……七年前、この壮絶な海流を眺めていた時は、己の無力さに打ちひしがれていた。

だが、今は違う。

「ちょ、ちょっと！　もう渦潮が目の前なんですけど⁉」

「――では、行ってくる」

「へっ⁉」

俺は軽くその場から跳び上がると、渦潮に向けて落下していく。

そして――。

「――――『覇天掌《はてんしょう》』ッ！」

『覇天拳』の派生形であり、拳から掌底へと形を変化させた奥義《おうぎ》。

海のような絶えず動く流体には、終点がいくつも存在し、それが複雑に絡まり合っている。

そのため、拳で突くのではなく、面の攻撃で同時に終点を叩《たた》く必要があるのだ。

俺の放った掌底が渦潮の表面に触れた瞬間、掌底の衝撃と渦潮の波がそれぞれの力を打ち消し合い、また、波の終点すべてが突かれたことで、一瞬にしてあたり一面が凪《な》いだ海へと変貌する。

「う、嘘《うそ》……」

俺は足に魔力を集め、空中を蹴ると、魔導船に着地する。

そして、極魔島の方へと振り返った。

「……今まで、ありがとうございました」

今まで俺のすべてを成長させてくれた土地に、最大の感謝を。

万感の思いを込め、頭を下げた。

そこから顔を上げると、再び前を向く。

「さあ、リーズ。君の国へ向かおう」

「っ！　え、ええ！」

師匠。

俺も、世界を見てみようと思います。

だから……行ってきます。

——こうして俺は、新たな世界へ飛び出した。

＊＊＊

とある屋敷の一室で、リーズを襲った魔族の男が、水晶を前に首《こうべ》を垂れていた。

すると、その水晶から声が聞こえてくる。

『——それで、エレメンティアの末裔《まつえい》は殺せたのか？』

「はっ……ヤツは危険な海域に自ら飛び込みまして。あの海に身を投げた以上、死んでいるのは確実かと……」

『直接殺していないのか？』

「っ⁉」

男は水晶から放たれた威圧感に、息が詰まりそうになった。

『貴様、あの小娘が我々にとってどれほどの脅威か理解していないのか？』

「そ、そういうわけでは……！」

『ならば何故《なぜ》、確実に死んだか分からぬ状況で貴様は平然としているのだ？』

「た、大変申し訳ございません……！」

男は冷や汗を流しながら、必死に額を床にこすりつけた。

すると、水晶から放たれる圧力はそのままに、厳かな声が響く。

『命令だ。貴様はしばらくの間、その港町で小娘が戻ってこないか監視を続けろ』

「か、監視でございますか？　それはいつまで……」

『エレメンティアの小娘の死が確定するまでに決まっているだろう？　陽ノ国の方には、別のヤツを向かわせる。貴様の言う通り、海に身を投げたのであれば、打ち上がるのはそこか陽ノ国くらいだろうからな』

「っ！　ぎょ、御意……」

『よいか。万が一、エレメンティアの小娘が生きているようならば……次は確実に殺せ――』

そして、男にそう告げると、水晶から気配が完全に消え去るのだった。

第四章

「キシャアアアアア！」

海から飛び出す、巨大な蛇の妖魔。

俺たちの乗っている携帯型魔導船を軽く飲み込めるほどの巨体は、少し動いただけで海流を生み出し、船はいつ沈んでもおかしくないほどに大きく揺れる。

だが……。

「フッ！」

「シャアアアアア！」

俺はそのまま大蛇に飛びかかると、その脳天に拳を叩きこんだ。

拳が頭にめり込んだ大蛇は、そのままよろめくと、海に沈んでいく。

「ふぅ……」

「……A級のマリンスネークが一撃で……」

「A級？」

う。

そう言えば、リーズにもA級とやらの肩書があったな……何か強さを示す指標なのだろう。

「……何でもない」

――極魔島を飛び出してからは、いたって順調な航海だった。

海流はその都度、俺が『覇天掌』で打ち消すため、船が航行するのに特に困ったことはない。

時折、先ほどのような見知らぬ海の妖魔が飛び出してきたが、どれも問題なく対処できた。

運がいいことに、大嵐に見舞われることもなく、風を気にする必要がない魔導船のおかげで楽に航海が進んでいた。

そんな穏やかな航行を続けていると、リーズが声をかけてくる。

「あと少しでアールスト王国の港町……レストラルに着くはずよ」

「そうか」

何だかんだ数日は航海しているが、食料などの心配はない。

リーズのマジックバッグ？　とやらにあらかじめ食料があっただけでなく、俺が海から食糧を捕ってこれるからだ。

問題があるとすれば常に海風に晒されるため、非常に肌がべたつくことくらいだろうか。

「うぅ……早く思いっきり水浴びしたいわ……」

「魔法で水なら出せるが……」

「アンタがいるのに、ここで水浴びなんてできるわけないでしょ！」

「す、すまない」

どうも俺には、一人でいる時間が長すぎたせいか、相手を思いやるという力が不足している。

普通に考えれば、女性が男の前で水浴びなどできるはずがなかったな……。

ただ、リーズもここ数日で俺の人となりが分かってきたのか、呆《あき》れたようにため息を吐《つ》く。

「はぁ……本気で怒ってるわけじゃないわよ。ただ、気を付けなさい」

「ああ……」

このように、度々リーズを怒らせては、反省しての繰り返しだ。成長がないのか、俺は。

正直、こうして許してくれるリーズの存在が本当に有難《ありがた》い。普通ならば絶縁ものだろう。

ようやくここ数日で友人となれたリーズに、嫌われるのは辛《つら》いからな……。

すると、気分を変えるようにリーズが続ける。

「そういえば、レストラルに着いたら刀真はどうするの？」

「……考えてなかったな」

「嘘でしょ⁉」

いや、師匠の技術を伝え残すという使命はある。

だが、どうやってそんな人間を探すかなど、考えていなかった。

そんなことを思っていると、俺は重大なことに気づく。

「はっ⁉　しまった……！」

「ど、どうしたの？」

「金子《きんす》が……ない……！」

「金子？　あ、お金のことね。ビックリしたじゃない……」

何故かリーズは呆れたようにため息を吐いた。

「いや、十分大事なことだろう？」

「確かにお金がないのは問題だけど……街に入るためのお金とか、宿代くらいは私が払うわよ」

「いや、それはさすがに……」

「いいから。こう見えて私、稼いでるし。それに、アンタがいなければあの島から出ることもできなかったのよ？　だから、お礼として受け取りなさい」

「……ありがとう」

リーズには本当に頭が上がらないな。

初めて出会えた異国の者が、リーズでよかった。

心の底からそう思っていると、リーズは何かに気づく。

「そうだ！　どうせなら、刀真も冒険者になれば？」

「ん？　冒険者といえば……確か、リーズもそんな肩書だったな？」

「ええ。冒険者っていうのは、その名の通り冒険を生業《なりわい》にしている人たちのことよ。街の冒険者ギルドに登録すれば、簡単になれるわ。登録にはお金もかからないしね」

「その冒険者になると、何かいいことがあるのか？」

「そうね……まず、冒険者といっても、その名の通り冒険するだけじゃお金は減ってくばかりよね？　だから、基本的に街の雑用だったり、魔物を討伐したりして、お金を稼ぐの。その稼いだお金を貯《た》めて装備を調えたら、また冒険に出たり、ダンジョンに挑んだり、より大きな依頼を受けるって感じね」

「その雑用などはどうすればいい？」

「ギルドの中に掲示板があるんだけど、そこに貼り出されてる依頼から選んで受けることができるわ。まあ色々言ったけど、実力さえあればお金を稼ぎやすい職業ってのが、冒険者よ」

「なるほど……」

「中には貴族に召し抱えられたり、騎士になったりする人もいるけど、そういうのはごく一部だし、何より選民思想の強い連中が多いから。平民で騎士になっても、大成するのは難しいわね」

そういう点はどこの国も一緒なんだな。

それにしても、話だけ聞いた限りだと、冒険者というのはいい職業のように思える。

今のところ、師匠の教えを伝える人間を見つける方法は思い浮かばないが、冒険者として活動していく中で、良い案が浮かぶかもしれない。

すると、リーズはさらに続けた。

「それに、一番のメリットは、アンタみたいに事情を抱えた人や、身元不明な人間でも簡単に登録できるってこと」

「ん？　それは……大丈夫なのか？」

「もちろん、危険と言えば危険よね。だから冒険者には荒くれ者が多いんだけど、その分自由だし、何か犯罪を起こせば必ず罪が重くなるわ。自由には何かしらの代価が必要ってこと。大体こんなところかしら。ちなみに依頼を達成すれば、ギルドでお金もすぐもらえるから、今すぐお金がほしいアンタにはピッタリよ。どう？　よさそうでしょ？」

リーズの言う通り、冒険者は俺に合ってるように思える。特にお金が手に入れやすいというのは有難い。今は無一文だからな。

「そういえば、リーズはどうして冒険者になったんだ？」

「え？」

「いや、少し気になってな。今でこそ、君と外の世界に旅立つことになったが、俺は元々はあまり冒険に憧れるような質《たち》ではない。だからこそ、リーズが冒険者になったのは、元々冒険が好きだったからなのか？」

「……確かに私は外の世界に憧れた時期はあったわ。でも、冒険者になりたいわけじゃなかった。ただ、これくらいしか私には選択肢がなかったのよ」

表情の消えた顔で、リーズは淡々とそう告げた。

どうやらリーズにも何か抱えている事情があるようだ。

まだ出会って日が浅いとはいえ、こうして旅を共にしているのだ、何か手伝えることがあればいいが……。

「……すまない。俺はまた、不躾《ぶしつけ》なことを訊《き》いた」

「別にいいわよ。あんな島に流れ着いたくらいだし、気になるわよね。そういう意味では、アンタの事情もかなり気になるけど」

リーズの言う通り、俺の身分はかなり特殊だ。

だからこそ、リーズは俺に冒険者を勧めているわけだが……。

……護堂家を名乗ってはいるが、陽ノ国では俺は死んだことになっているはずだ。

しかしこうして俺は生きている。

そして勝手に極魔島を出ているため、もし生きていることが陽ノ国に伝われば、犯罪者として捕らえられるだろう。

まあもし仮にこれから先、陽ノ国の人間に出会っても、元々陽ノ国では屋敷に軟禁状態だったのだ、護堂家の人間でもない限り、俺のことを知っている者はいないだろう。とはいえ、気を付けておくに越したことはない。

だからこそ、俺にとって身元を確認されることなく登録できるという点は大きかった。

「冒険者のことは理解したが……入国は大丈夫だろうか。俺には身分を証明できるようなものもないのだが……」

「あー……他国からの入国もお金がかかるけど、それも私が払うわ。ただ、刀真はすごく目立つはずよ。なんせ陽ノ国人だし」

「何故だ？　今から向かう国は、陽ノ国と交易しているんだろう？　なら、そのレストラルという街にも陽ノ国人はいるんじゃないか？」

「それが、今はほとんどいないのよ」

「……何？」

それは予想外の言葉だった。

「私も詳しくは知らないけど、陽ノ国の方針で、少し前から出国制限がされてるみたいなの。何なら、陽ノ国への入国も簡単じゃなくなったみたいだし」

「ふむ……」

何故そんな方針がとられているのかは分からないが……まあいい。

今の俺には関係ない。どうせ陽ノ国では死んでいると思われているのだ。

ただ……。

「状況は理解した。その上で、リーズには頼みがある」

「ん？　何よ」

「俺をただの刀真として扱ってほしい」

「……護堂の家名を隠すってこと？」

「そうだ」

――俺は今まで、護堂の名を捨てることができなかった。

これを捨ててしまえば、父上たちとの繋がりが消えてしまうと思ったからだ。

心の奥底で、まだ父上や皆に認めてもらえるんじゃないかと、そう期待していたのだ。

しかし、そんなものは生贄《いけにえ》に捧《ささ》げられた時から……いや、命刀を授かれなかった時から存在していないと、分かっていたはずだ。

すべては俺の心が弱いから。

だが、弱気になるのは終わりだ。

俺には師匠たちの技術を残していくという使命がある。

今さら護堂などという家名に縋《すが》る必要などないのだ。

それに、出国制限がかかっているのなら、俺がレストラルで活動し始めれば異国にいる陽ノ国人ということで噂《うわさ》になる可能性が高い。そうなると、アールスト王国の商人から陽ノ国に俺の存在が伝わるかもしれない。

その際、俺が護堂家の者だと分かれば、面倒なことになるだろう。

母上の姓を使えればよかったのだが……残念なことに、俺は母上の姓を知らなかった。

思えば、それだけが陽ノ国への心残りかもしれないな。

ともかく、俺が護堂の家名を捨てるのには、いい機会だった。

すると、リーズは真剣な表情で頷《うなず》いてくれた。

「刀真も色々あるみたいね……いいわ。アンタは今からただの刀真ね」

「ああ。……ありがとう」

すると、不意にリーズが指をさす。

「あ、あれを見て！」

「ん？」

リーズの示す先に目を向けると、遠くに港が見えてきた。

「あれがアールスト王国のレストラルよ！」

――こうして俺たちは、無事レストラルに到着することができたのだった。

＊＊＊

俺たちが港にたどり着くと、すぐに役人らしき人物が現れ、色々と手続きをすることになった。

そんな中、リーズが港に着いたことに気づいたらしく、周囲は妙にざわめいていた。

「お、おい、あれ、リーズじゃないか？」

「リーズのヤツ、無事だったんだな……」

「てか、隣の男は誰だ？」

「え？　……本当だ、気配が薄すぎて気づかなかったぜ……」

少し耳を澄ましてみると、どうやらリーズが帰ってきたことに驚いているらしい。

理由は知らないが、リーズは依頼の途中で死んだことにされていたようだ。

まあ、彼女が極魔島に流れ着く前の経緯を詳しく知らないので、何があったのかは分からない。

とはいえ、リーズから話さない限りは俺も訊くつもりがなかった。先ほども踏み込んだことを訊いて不快にさせたからな。気を付けよう。

他にも、俺の姿を見て騒ぐ者たちが数多く存在した。なるべく目立たぬよう、いつもより気配は消していたつもりなのだが、まだこの国の環境に慣れていないため、上手《うま》くいかなかったようだ。

というのもリーズの言う通り、他国に陽ノ国人がやって来るのは珍しいため、どうしたって俺の姿は目立つのだ。まあこればかりは早く周囲の気配を摑《つか》み、馴染《なじ》ませるしかないな。

それに、珍しいと感じるのは俺も同じであり、港で働く人々や、街の城壁、停泊している船といった目に入るすべてのものが新鮮で、そこには見たこともない世界が広がっていたのだ。

そういうわけで俺が周囲を観察していると、手続きを終えたリーズが帰って来た。

「ったく……ようやく終わったわ」

「お疲れ様」

「ん。それより、早くギルドに行きましょ。さっきから視線が鬱陶《うっとう》しいったらありゃしないわ」

顔をしかめるリーズの後をついて行きながら、関所を抜けようとした瞬間、俺は不意に妙な気配を感じた。

その視線は俺に向けられたものではなく、リーズに向けてのものだったが、どうも先ほどから俺たちを見ている人々とは毛色の違う視線だった。

何というか……驚きと害意の入り混じった、不快な視線だ。

ただ、見知らぬ土地ということで、いつもより警戒度を上げていたためか、ついその気配に俺も反応してしまった。

そのせいで相手にもそれが気取られたようで、俺が相手を探るまでに、その気配は消えてしまう。

……はぁ。こんな小さな隙を見せるとは……俺もまだまだ未熟だな。

それに、相手も気配を消すのが上手い。今も探っているが、行方は追えなかった。

とはいえ、どれだけ気配を消すのが巧みでも、何らかの行動を起こす際には必ず気配が生じる上に、近づいてくれば気配を消した状態でも気づける自信が俺にはあった。

そして俺が気配の主を察知できなかったように、相手もこちらを深く探ることはできなかっただろう。

元々気配に気を付けながら行動している上に、ようやく街の気配も摑んできたので、俺の気配も周囲の気配に溶け込めているはずだ。

すると、リーズが不思議そうな表情でこちらを見つめてくる。

「？　どうしたの？」

「……いや、何でもない」

先ほどの気配の主に心当たりがないか彼女に訊いた方がいいのだろうが……ここで訊けばそれこそ相手に何か勘付かれるかもしれない。

それに、リーズも正直に話してくれるか分からないしな。ここは俺が意識的に気を付けておこう。

そんなことがありつつも、俺たちは関所を抜けた。

＊＊＊

関所を抜けると、レストラルの街並みが目に飛び込んできた。

そこには陽ノ国では見かけない衣服を身に纏《まと》う人々が多く行き交い、あらゆる建物も石造りで驚いた。陽ノ国は基本木造の建築文化だからな。

それに、何故《なぜ》か頭に獣の耳を付けている人間や、見たこともない鎧《よろい》で武装した人たちもたくさんいた。あの耳は何だ……仮装だろうか。

こうして物珍しそうに街並みを眺めている俺は、完全に田舎者丸出しだっただろう。

事実、街に入ってからさらに人目が俺の方に向いているのを感じていた。……いかん、せっかく気配を溶け込ませたのに、行動で目立っては意味がない。

俺が周囲を興味深く観察していると、リーズがとある建物の前で立ち止まる。

「着いたわ。ここが冒険者ギルドよ」

「ここが……」

そこにあったのは、見知らぬ文字で書かれた看板に、剣と盾の印。

それは、他の建物より大きく、その上街の中心部に建てられていた。

リーズに続く形で中に入ると、そこは異国の酒場といった雰囲気だった。

というのも、この場で酒を飲んでいる人がかなり多いからだ。

ただ、リーズが現れた瞬間、建物内の雰囲気がガラリと変わり、様々な視線が寄せられた。中にはリーズとともにいる俺の気配にもすぐに気づくような冒険者も幾人か見受けられた。

周囲を観察していると、リーズはそんな彼らを呆《あき》れたように見つめる。

「はぁ……勘違いしないでほしいんだけど、酒場じゃなくて、ここは冒険者ギルドであってるからね。職業柄、荒くれ者が多いし、依頼終わりに一杯飲みたいっていう連中のために、ギルド内に小さな酒場が併設されてるのよ」

「なるほど……」

「私は少し別の用事があるから、アンタはあそこで冒険者登録してきなさい」

リーズが指し示す方に視線を向けると、そこには受付らしき場所があり、すでに何人か並んでいた。

「分かった」

「それと、宿のこともあるから、このギルドからなるべく動かないでね」

リーズはそれだけ告げると、一人どこかへ向かってしまう。

それを見送りながら、俺も冒険者登録のために列へと並ぶことにした。

リーズと別れ、受付の列に並んでいると、俺の番になる。

「次の方どうぞー」

「よろしくお願い……ッ⁉」

そこまで言いかけて、俺は受付の女性の姿に驚いた。

なんと、頭から直《じか》に本物の獣の耳が生えているのだ。な、何だ、これは……。

しかも、よく観察すると、尻尾まで生えている。

つ、作り物じゃないのか……？

街でも似たような恰好《かっこう》の人間を見たが、あくまで仮装なのだと思っていた。

だが、目の前の女性に生えている耳も尻尾も、確実に動いているし、魔力も流れているので、体の一部であることに間違いないだろう。

俺が思わずまじまじと見つめていると、受付の女性が困惑した様子で口を開いた。

「あ、あのぅ……」

「あ……す、すみません！　不躾《ぶしつけ》に見つめてしまい……」

「大丈夫ですよ。ただ……私、どこかおかしいでしょうか？」

「い、いえ。その……貴女《あなた》のように、人以外の耳を持つ方を初めて見たので……」

「そうなんですか？　あ……見たところ貴方様《あなた》は陽ノ国の方ですよね？」

「そうです」

「陽ノ国の方がいらっしゃるなんて珍しいですね！　最近、陽ノ国では出国制限がかかってるという話でしたが、解除されたんですか？」

「その……そこら辺のことはよく分からないんです」

するると、受付の女性は一瞬驚きつつも、何かに気づいて納得していた。

「そういえば、先ほどもリーズさんと一緒にいましたもんね。リーズさんも依頼中に亡《な》くなられたって聞いていたんですけど……何か訳アリって感じでしょうか……」

「……そんなところです」

なんて答えればいいのか分からず、俺はつい曖昧な返事をしていると、女性は申し訳なさそうな表情を浮かべた。

「っと……すみません。つい詮索するようなことを訊《き》いてしまって……」

「そんな！　こちらも不躾に見つめてしまったわけですから……」

「いえいえ。確かに陽ノ国には人種《ひと》以外はいないって聞きますしね。私のように動物の特徴を持っているのは、獣人《ビースター》と呼ばれる種族です。他にも森の民《スピレスト》や岩の民《ガンテール》といった種族の方々がこの街には住んでいますが……」

どうやら予想以上に人間以外の種族がこの街には多くいるらしい。

ここら辺も師匠から軽く話は聞いていたが、実際に聞くと目にするとでは驚き具合は大きく異なる。

「あっ……す、すみません！　つい話し込んでしまいましたね。それで、こちらの列に並んでいたということは、冒険者として登録するということで大丈夫ですか？」

「はい、お願いします」

「では、こちらの用紙に……あ、大陸共通語は書けますか？」

「すみません、書けないです」

「では、代筆いたします。お名前をお伺いしてもよいですか？」

「刀真です」

俺がそう答えると、受付の女性は用紙に何かを記入し、それを妙な箱に入れた。

もう少し何か訊かれるかと思ったが、どうやら名前だけでいいらしい。

すると、少ししてから鉄の板が箱から排出された。

「はい、完成いたしました。こちらがギルドカードになります」

「ギルドカード……」

渡された鉄の板には、俺には読めない文字で何かが刻まれていた。

「そちらはE級冒険者を示す鉄のギルドカードでして、お名前とランクが記載されています」

「な、なるほど……?」

「冒険者のランクは最下級のE級から始まり、依頼の達成度などによって――」

ここから非常に長い説明を聞くことになったのだが、何とか理解しようと努力はしたものの、正直すべて理解できたかは怪しい。

EもSもランクも聞き馴染《なじ》みがない単語だからだ。

ただ、女性の話を自分なりに解釈すると、恐らく刀士の位階に似ている構図だと理解した。

刀士の最下位が黒位であるのに対し、冒険者の最下位はE級……つまり、今の俺だ。

それに対してリーズはA級……つまり、青位と同格。相当な実力者だ。

そういえば、俺が海で倒したマリンスネークとやらもA級、青位相当の強さらしいが……俺も極魔島である程度は実力がついたということだろう。これからも慢心せず、精進するのみだ。

他にも昇級方法などを説明されたが、とりあえず依頼を真面目に受け、ギルドに認められた場合に課される試練を達成すればいいらしい。まあ俺に関係のある話かは分からないが、依頼を受けることがあれば手を抜くつもりはない。

ともかく、ようやく説明が終わったところで、女性が頭を下げた。

「……長くなりましたが、説明は以上となります」

「そ、その……ありがとうございました」

「いえ。それと申し遅れましたが、私はここのギルドの受付をしております、リリーと申します。刀真様のこれからの冒険者としてのご活躍をお祈りいたします」

そして、リリーさんは丁寧なお辞儀をするのだった。

＊＊＊

私……リーズは、冒険者ギルドに到着すると、真っ先にギルドマスターの部屋に向かった。

ノックをすると、部屋から女性の声が聞こえてくる。

「入りな」

「失礼します」

中に入ると、そこには赤銅《しゃくどう》色の髪を雑にまとめた、一人のガンテール女性がいた。

ガンテールは岩の民と呼ばれているように、本来は険しい渓谷や鉱山に住んでおり、鍛冶の技術に優れた種族である。

長い間鉱石と共に生きてきた彼らは、体内に少しずつ鉱物が蓄積していき、体の一部が特殊な鉱石に覆われ、さらに人間で言う尾てい骨の位置に、岩の尾が生えている。その証拠に目の前の女性も、首元がゴツゴツとした鉱石で覆われており、腰からは同じ鉱石の尾がゆらゆらと動いている。

また、ガンテールは歴史上、採掘や鍛冶を続けてきた種族だからか、男性は筋骨隆々な者が多く、女性も平均的に筋肉質で背が高い。

そんなガンテールの女性こそ、このレストラルにある冒険者ギルドのマスター……ベラさんだった。

ベラさんは部屋に入った私を見ると、目を見開く。

「あ、アンタ……本当に無事だったのかい……⁉」

「……その、何とか……」

そして、すぐに私の元に来ると、力強く抱きしめてきた。

「よかった……よかったよ……！　アンタが死んだって聞いた時、アタシは……」

「……ごめんなさい」

私はベラさんに謝る。

ベラさんは私が冒険者として活動を始めた頃から、ずっと面倒を見てくれている大切な恩人だ。恥ずかしいから口には出さないが、自分の姉のように思っている。

……もし私が最初からベラさんの言うことを聞いて、信頼できる仲間を作っていれば、こんなことにはならなかったのだが……こうして再会できたのは本当に嬉《うれ》しかった。

謝る私を、ベラさんは責めずにさらに抱きしめた。

「いいんだよ！　こうしてアンタが無事に帰ってくれれば……！」

「うぐっ……べ、ベラさん……苦しい……」

「ん？　あ……すまないね。つい……ハハハハハ！」

私が思わずベラさんの背中を叩《たた》くと、ベラさんは豪快に笑った。

ベラさんもガンテール特有の凄《すさ》まじい筋肉を持っているので、魔法使いの私なんかじゃ簡単に潰されてしまう。

……まあそれ以外にも、胸が大きいからそこで窒息しそうにもなるんだけど。

思わずベラさんの胸を見つめていると、そんなことには気づかずにベラさんは真剣な表情を浮かべた。

「それにしても……一体何があったんだい？」

「その……実は……」

一瞬、ベラさんにここまでの経緯を話していいか迷ったものの、数少ない私の事情を知る人物ということもあり、私は自分が受けた依頼のことや、陽ノ国に向かう商船で起こった出来事などをしっかりと説明した。

ただ、一つだけ説明を濁したのは、あの極魔島と、そこで出会った刀真の件だ。

極魔島の噂《うわさ》は、陽ノ国と交易が始まってから、この国にも轟《とどろ》いている。

何でも未知のS級の魔物たちが跋扈《ばっこ》する超危険地帯であり、陽ノ国では罪人の流刑《るけい》地として使われている、と。

そんな極魔島に罪人を移送する際は、S級と同等だと思われる、陽ノ国の刀士という者たちが遣わされるそうだ。

極魔島の周囲にはそれほどの実力者でなければ到達することすら不可能とされる、荒々しい海域がある。

そのため、そんな島から脱出したと言っても、普通は信じられないだろう。

まあベラさんなら私の言葉を信じてくれると思うが、刀真のことを説明するのが難しかったのだ。彼は護堂家という、陽ノ国の重鎮である家系の人間でありつつ、何か大きな事情を抱えているようだし……。

そのため、商船で魔族に襲われてから、海に逃げ出したあと、同じく陽ノ国から抜け出して船旅をしていた刀真と出会い、ここまで一緒に来た、ということにした。

するとそんな私の説明を聞き終えたベラさんは、茫然《ぼうぜん》としていた。

「まさか、本当に魔族が実在したとはね……」

「その……信じてくれるんですか……？」

正直、私がベラさんの立場なら、そんなことあるわけないと笑い飛ばしていただろう。

私が見た魔法も、ただの勘違いに違いないと。

なんせ魔族はただのおとぎ話の中の存在でしかなく、それが実在するなんて誰も思っていないからだ。

私はただ、故郷の国で魔族に関するおとぎ話に触れる機会が多かったからこそ、あの襲撃者が魔族だと確信したが、そうでなければただ妙な闇属性魔法を操る存在としか思えなかっただろう。

だからこそ、ベラさんが私の言葉を素直に信じてくれたことに驚いたのだ。

「当たり前だろう？　アンタがくだらない嘘《うそ》を吐《つ》くとも思えないし、何よりアンタが一緒に乗っていた船の乗組員たちも、どうしてアンタがいなくなったのか憶《おぼ》えてないって言うんだ。何なら、気づいたら皆気を失ってたって話だしね。こんな妙な現象、とても普通じゃ考えられないよ」

どうやらあの魔族は、私が逃げたあと、船員たちを殺したりはしなかったらしい。

船員たちは皆殺しにされててもおかしくない状況だったが……もしかしたら、魔族が動いていることを世間に察知されたくなかったのかもしれない。

だが、死んだはずの私がこうして生きて戻って来たのだ。

この街にあの魔族が潜伏しているのか分からないが、こうして私が生きて帰って来たことはすでに話が広がっているだろうし、あいつがまた殺しに来るのは確実だろう。

すると、ベラさんの雰囲気が一転し、こちらが気圧《けお》されるような気配に変わる。

「さすがに外では護《まも》ってやれないけど、ギルドにいる間は安心しな。魔族だろうが何だろうが、アタシがいる限り手は出させないさ」

ベラさんはそう言うと、獰猛《どうもう》な笑みを浮かべる。

……さすがは元S級冒険者。

ランクは一つしか変わらないのに、彼女の気配からは絶対的な力の差を感じさせられた。

「ひとまず事情は分かった。こっちでも魔族に関しては調べておくよ」

「その、大丈夫ですか？　もしベラさんが魔族のことを調べたせいで何かあったら……」

「アンタ、誰の心配してんだい？　どうせならアンタだけじゃなく、アタシも標的になった方が安全だろう？　ほら、標的が増えればそれだけ敵の力も分散できるってわけでさ」

「そ、そうですけど……」

「安心しな。アタシはアタシなりにアンタのためにできることをやってあげるだけだよ」

「……ありがとうございます」

私は心の底からベラさんに感謝した。

かつて、家臣に裏切られ、祖国を奪われた私は、一緒に逃げ延びた乳母以外、人を信じられなくなっていた。

そして、家臣からの追手を振り払い、自分だけの力で何とか生きていくために姓を捨て、ただのリーズとして冒険者になったのだ。

そんな私を、初心者の頃から何かと気にかけ、面倒を見てくれたのがベラさんだ。

正直、昔の私は思い出すのも恥ずかしいくらい、周囲に対して攻撃的だった。

私のことを気にかけてくれるベラさんに対しても失礼な態度を何度もとってきたのだ。

それでも根気強く私とかかわってくれたベラさんには、感謝してもしきれない恩がある。

「でもアタシにできることだって限界がある。だからこそ、いい加減仲間を作りなって言ってるんだよ」

「うっ……そ、それは……」

思わず言葉に詰まっていると、ベラさんは呆《あき》れた表情を浮かべた。

「アンタ、実力はあるけど、人付き合いが苦手だもんねぇ。昔なんて本当に狂犬みたいにあちこちに噛《か》みついて……」

「そ、その節はご迷惑をおかけしました……」

うぅ……本当に頭が上がらない。

「そう思うんなら、早く仲間でも作ってアタシを安心させとくれ。そうだ、いっそ強制的にどこかのパーティーにねじ込んでやろうかねぇ？」

「や、やめてくださいよ！」

「だったら早く仲間を見つけな！　このままじゃいつまで経《た》ってもハラハラして、アタシの心臓が潰れちまうよ」

「……ベラさんは心臓も鉱石でできてそうだけどね……」

「あ？　なんか言ったかい？」

ボソッと呟《つぶや》いた私の言葉に、すかさず反応するベラさん。

このままだと怒られる上に無理やりにでも誰かとパーティーを組まされそうなので、私は誤魔化すように話題を変えた。

「そ、そういえば！　私がいない間、何かあったりしましたか？　例えば、優秀な冒険者が現れたとか、強力な魔物が出現したとか……」

「あー、ナイナイ。魔物もそうだが、冒険者に関してもも最近はどいつもこいつもまともなヤツがいないよ。アンタ以外に、もう一人くらい優秀なヤツが現れてくれれば、ギルドもちゃんと回るんだけどねぇ。こんなんじゃいつまで経ってもギルドマスターを辞められやしない」

うんざりとした様子でそう告げるベラさん。

その言葉に、私は苦笑いを浮かべた。

「その……まだ婚活中なんですか？」

「当たり前だろう？　理想の旦那を手に入れるまでは諦めないよッ！」

そう語るベラさんの瞳に、炎が宿る。

……ベラさんは、ギルドマスターの中でもかなり変わっている存在だ。

というのも、冒険者としてまだまだ現役でありながら、結婚資金を貯《た》め終えると婚活のためという理由で早々に引退。

しかし、無職というのでは世間体が悪いので、ギルドマスターになったという、なんとも言えない経歴を持っていた。

そのため、結婚すればすぐにギルドマスターを辞めると常々口にしている。

そんなベラさんだが、スタイル抜群の女性であり、しかもすごい美人だ。

普通なら引く手あまたなんだろうけど……。

「えっと……ベラさんの理想って……？」

「そりゃあもちろん、アタシより強いヤツに決まってるじゃないか」

「そんなこと言ってるから結婚できないんですよ……」

元S級冒険者のベラさんより強い人なんて、そうそういない。

確かにガンテールはその種族柄、力の強い人に惹《ひ》かれるって聞くけど、いくら何でもベラさんが基準なのは無謀すぎる。

「で、でも、同じガンテールならベラさんより力の強い人もいるんじゃないですか？」

「ダメダメ。アイツらはガサツだし、むさ苦しいし、嫌だね。アタシは癒やしがほしいんだよ！」

元S級冒険者をしのぐ力を持っていながら癒やしを与えてくれる存在など、矛盾しているにもほどがある。本当に結婚する気はあるのだろうか。口に出したら怒られるので、黙っているが。

「それに、ガンテールの男どもは武具のことしか頭にないんだから」

「あー……それはそうかも……」

「だろう？　その上、並のガンテール男じゃ、アタシに勝てないんだからさ。それよりも、

アンタの話を聞かせな！　魔族の他にも、まだ隠してることとかあるんじゃないかい？

例えば……一緒に来たっていう男のこととかさ」

「ええ⁉」

あ、やっぱり誤魔化しきれてなかった⁉

「アンタが誰かと一緒に行動するなんて珍しいじゃないか。しかも、わざわざここまで親切に案内してやったんだろう？」

「ど、どうしてそれを⁉」

ベラさんはその職務上、ギルドから離れることはほとんどない。だというのに、帰還したばかりの私の情報がすでに出回っていることに驚いた。

「そりゃあギルドを束ねる立場にあるんだ。多少は外の情報を仕入れる手段くらい、用意しているさ。だから、アンタが帰還したって聞いた時も、本当に驚いたし、こうして実際に確認して安心できたのさ」

「な、なるほど……」

「それよりも……案外、アンタの仲間が見つかるのはもうすぐかもしれないねぇ？」

私はニヤリと笑うベラさんに捕まり、色々なことを聞き出されるのだった。

＊＊＊

冒険者登録を済ませた俺は、リーズに言われた通りギルド内で大人しく待っていた。

ただ、普通に待っているだけでは退屈なので、依頼が貼られている掲示板を見てみることに。

その際、俺の恰好《かっこう》が他の者たちと違うので、妙な輩《やから》に絡《から》まれる可能性も考え、いつも以上に攻撃的な気配に警戒するようにしていた。それに、もう完璧に周囲の環境も摑《つか》めたので、いつも通り、俺の気配は違和感なくこの場に溶け込ませられているだろう。

「ふむ……こういう形か」

そこに貼りだされていた依頼は、冒険者の階級ごとに分けられていた。

ただ、俺は大陸共通語というものを読むことができないので、何となく目についた依頼を見つけては、手が空いている受付の人にそれを確認するのを繰り返すことに。

その結果、E級の俺が受けられる依頼は、主に誰かの買い物の代行だったり、街の清掃活動だったりと、雑用的な面が強いことが分かった。

街の外に出るような依頼については、薬草採取という依頼しかないらしい。

次の階級であるD級の依頼はというと、雑用の他に聞き慣れない名前の魔物の討伐依頼が貼り出されていたので、D級からようやく冒険者らしい依頼が始まるといったところだろう。

そんなことを考えていると、リーズの気配を感知した。

その方向に視線を向けると、俺を探しているのか周囲を見回しているリーズがいた。

俺は周囲に気配を溶け込ませながら、リーズの元に向かう。

「用事は済んだのか？」

「うえっ⁉　あ……え、ええ。何とかね」

「それはよかった」

「……アンタ、気配なさすぎじゃない？　どうなってるの？」

「そうか？　あんまり驚かせてしまうようなら気を付けるが……」

あの極魔島で過ごすうちに、自然と自分の気配を薄くする癖がついていた。

というのも、極魔島には俺より強い妖魔がたくさんいたため、気配を消し続けなければ生き残れなかったのだ。

それに、こちらから攻撃を仕掛ける時も、格上の妖魔が相手なら、奇襲を仕掛けたりするためにも自分の気配を消すのは必須条件だった。

「ま、まあそれはいいわ。それより、これからのことを少し話したいんだけど……いいかしら？」

「それは構わないが……どこで？」

「ギルドの会議室を押さえてあるから、ひとまずそこで」

リーズの案内の下、俺たちはその会議室とやらにやって来た。

そこには机と革張りの長椅子が置かれており、ギルドの雰囲気とは異なり洗練されている。

思わず室内を見渡しつつ、俺は感嘆の声を上げた。

「ほぅ……どこを見ても不思議だ。陽ノ国では見たことがない様式だが、上質な気品が感じられる。このような部屋を押さえられるのは、やはりA級冒険者の特権なのか？」

「いや、別にそういうわけじゃないけど……この部屋は重要なことを話し合ったり、冒険者同士で作戦を立てたりする時に借りたりするのよ。だから、誰でも使おうと思えば使えるわ」

そんなことを話しつつ、俺たちは向かい合う形で座る。おお、この椅子……これまた変わった座り心地だな。

「さてと……それで、これからどうするんだ？」

「このあとは宿に向かうつもりよ。それで、アンタも私と同じ宿に泊まってもらうわ。いいわよね？」

「それは構わないが……いいのか？」

「ん？　何が？」

「リーズはA級冒険者なのだろう？　なら、俺のような人間が簡単に泊まれるような宿だとは思わないんだが……」

掲示板を見ていた時、A級冒険者向けの依頼も受付の人に読んでもらったのだが、明らかに依頼の内容も難しそうで、その上、報酬金も高そうだった。

いくら受付の人に依頼内容を読んでもらっていても、この国の貨幣価値がまだ分かっていなかったので、完全に俺の主観でしかないが。

ただ、刀士に当てはめて考えても、黒位の刀士より青位の刀士の給金が高いのは当然のことだ。

すると、リーズは少し呆《あき》れていた。

「あのね……そんなこと気にしなくてもいいわよ」

「だが……」

「何回か言ったと思うけど、貴方《あなた》がいなければ私はこの街に帰って来ることさえできなかったの。だから、これくらいは恩返しでも何でもないわ。むしろ、ここまでの船旅を護衛してくれたことに対する報酬みたいなもんよ」

「それこそ、俺もあの島を出る切っ掛けをくれたのは、リーズなんだ」

リーズと出会わなければ、俺は今もあの島で自分に言い訳を続け、修練を続けていたことだろう。

「とにかく、アンタは気にしなくてもいいわ。それに、A級冒険者って稼げるんだから」

「それは……素晴らしいな。俺もリーズのように、高い階級の冒険者になれるよう、頑張るとしよう」

「……アンタならすぐよ」

新たな目標ができたことを嬉《うれ》しく思っていると、リーズは何とも言えない表情でそう告げた。

「それと……私と同じ宿なのには別の理由もあるの」

「ん？　別の？」

「……実は……」

リーズは言い辛《づら》そうにしながらも、極魔島に流れ着くまでの経緯を語ってくれた。

どうやらリーズは魔族とやらに狙われ、船の上で襲撃を受けたそうだ。

しかも、その魔族には、人間を操ったり、魔法を阻害する術があるらしく、リーズは追い詰められ、一か八か逃げ切るために、海に身を投げたそうだ。

……極魔島から脱出する時も思ったが、リーズの胆力は素晴らしいな。

いくら僅かながらの可能性があるとはいえ、そんな危険なことに命を懸けるのは普通、難しいだろう。

「……そして、私はエレメンティア王国の王女でもあるの」

「王女⁉」

「ええ。でも、家臣にすべてを奪われた今……私も刀真と同じ、ただのリーズよ。だから、今まで通り接してちょうだい」

「リーズ……」

まさかリーズが、俺に身の上話を聞かせてくれるとはな……。

どこか寂し気に笑うリーズは、話を続けた。

「刀真には感謝してもしきれないわ。でも、私を助けてくれたせいで、刀真まで魔族に狙われてしまうでしょう。貴方が強いのは分かってるけど、ヤツらが何をしてくるか……。だから、せめて私と同じ宿にいてもらって、刀真を護《まも》れたらって……まあ刀真は強いから、私の力なんて必要ないかもしれないけどね」

「なるほど……」

あの関所での視線は、その魔族とやらのものだったのだろう。確かに、俺の存在など、街の噂《うわさ》を聞けばすぐに伝わるはずだ。とすると、俺も魔族の標的になる……。

それに、魔族の件の他にも、リーズの話はかなり衝撃的だった。

リーズはかつて、信頼していた家臣に裏切られ、家族を、そして、国を失った。

それから必死に家臣の襲撃から逃げおおせ、こうして一人で生きていく力を得て、その家臣への復讐《ふくしゅう》を誓ったそうだ。

そしてリーズの話によると、その家臣がどうやら魔族と繋《つな》がっていたらしい。

家臣が魔族と何らかの取引をしたことで、リーズたちの家族は魔族という黒幕の存在を今まで知ることもできず、ただ殺されたのだ。

では何故《なぜ》、魔族はリーズを狙うのか。

どうも魔族にとって、リーズの家系が邪魔だと判断されたかららしい。

「その、エレメンティア王国と魔族には何か関係があるのか？」

「……分からないわ。ただ、昔から魔族に関するおとぎ話だけはたくさん読み聞かせられてきたけど……」

狙われる理由が分かればまた話は違うのだろうが、リーズ自身も分からないのであれば、どうすることもできない。

……リーズもまた、俺と同じように特殊な事情を抱えていたのだ。

裏切った家臣だけが敵かと思えば、その裏には魔族の存在が。

普通であれば、人の心配などする余裕もないだろう。

だが、リーズはそんな状況であっても俺のことを心配してくれているのだ。

それがどれだけすごいことか……。

そして、俺も魔族という存在を初めて耳にしたわけだが、どんな手段で攻撃してくるのか分からなかった。

リーズが海の上で不意打ちを受けたように、どこかで同じように襲われる可能性だってある。

……最悪、この街全体に魔族とやらの力が働けば、操られた街の者全員が襲ってくることもあり得るかもしれない。

俺がそれを防げるのかどうか、何とも言えぬが……。

「だから、ごめんなさい。本当なら最初から私のことを伝えておくべきだったわ。でも、私は自分の都合を優先して、刀真を巻き込んで……これも全部、私が、臆病だから……」

確かに、リーズの家系や、魔族のことは知らなかった。

しかし、リーズが俺のことを考えて話してくれているのは伝わっている。

だから俺は――――。


「――――決めた」


「え？」

「リーズ。まず俺は、巻き込まれたなんて思ってもいない」

「でも……」

「それに、俺はもう、君とは友人であり、仲間だと思っている」

「え？」

「君の諦めない強い意志が、俺に一歩踏み出す勇気をくれたんだ」

リーズと出会えなかったら、今もまだ、俺はあの島で無意味に外の世界に怯《おび》えながら過ごしていただろう。

「だから次は、俺が君の背中を押す番だ」

驚くリーズの目を、俺は真っすぐ見つめた。

「君が困っているなら、俺にも手伝わせてほしい」

「なっ⁉　言ったでしょ？　私は家臣への復讐を誓ったって。それに、魔族の脅威も
――――」

「関係ない。それよりも、君を支えたい……そう思ったんだ」

「！」

俺は、彼女の復讐に対して否定も肯定もしない。

だがリーズは、命を懸けてでもその目的を成し遂げようとしているのだ。その想《おも》いこそが、彼女の胆力に繋がっているんだろう。

俺とは違う、危険な道を歩むリーズ。

だからこそ、俺は……リーズを助けたい。

そう、思ったのだ。

「だから、リーズ。俺も君の道に加えてくれ。君が命を懸けて復讐をするというのなら、俺は剣となろう。魔族が襲い来るのなら、俺が君の盾となろう。君が安心して歩めるよう、俺が君の道を切り開こう」

俺はそう告げると、その場に跪《ひざまず》き、首《こうべ》を垂れ、陽ノ国に伝わる従者の礼をとった。

これは王選祝福で命刀を授かった新米の刀士たちが、皇帝陛下に向けて捧《ささ》げるものだっ

た。

しかし俺は、結局陽ノ国にいた時には命刀を授かれなかったため、この礼をとったことがなかった。

そんな俺の礼を受け、リーズは呆然《ぼうぜん》と呟《つぶや》く。

「ほ、本当にいいの……？」

「ああ」

「……死ぬ危険だってあるのよ？」

「承知している」

「……」

「その危険を押してでも、君と共に行きたいのだ」

真っすぐリーズを見つめると、そう言い切った。

そんな俺の言葉を受けたリーズは、目に涙をためると、すぐにそれを拭う。

「……ありがとう」

そして、今度は笑みを浮かべるのだった。

実際、魔族がどんな手段を講じてくるかは分からない。

だが、いざとなればリーズを連れて逃げればいいのだ。

恐らく俺が極魔島で一番鍛え上げられたものこそ、逃げ足と言っていいだろう。彼我の戦力差を見極め、逃げられなければ死ぬのが当たり前だったのだから。

そういう過去の経験則から考えると、あの魔族の気配であれば対処するのに問題はないはずだ。

リーズが俺の申し出を受け入れたあと、俺は立ち上がると改めて訊《たず》ねる。

「それで、これからどうする？　君の目標が復讐だということは分かったが、すぐにその家臣の元に、故郷の国に向かうつもりなのか？」

「……その家臣の裏には魔族がいる……だから、まずは魔族のことについて調べる必要があるわ」

リーズとしては家臣に復讐を果たすだけだったが、その裏で魔族が手引きしていると知り、今後の目的がかなり複雑になっていた。

「ちなみに、刀真は魔族について何か知ってる？」

「いや……すまないが、俺も知らない。そもそも、人間以外の種族が存在していることすら、この街で初めて知ったくらいだ」

そう口にした俺の脳裏には、ふと極魔島で見た、初代皇帝陛下と極魔による戦闘の記憶がよみがえった。

あの極魔は、ただの妖魔や魔物の延長線上に位置する存在だと思っていたが、もしかすると魔族と関係があるのかもしれない。

ただ、今の俺はそれを確かめるすべを持っていなかった。

「なるほどね……それなら、この国の王都に向かう必要があるかも……」

「王都？　そこには何かあるのか？」

「この国で一番大きな図書館がそこにあるのよ。もしかすると、そこで魔族に関する文献を見つけられるかもしれないわ」

「なるほど」

「それに、王都にはダンジョンもあるし、そこで装備の更新をしたり、修行をしたりしましょう」

「ダンジョンか……前にもリーズが言っていたが、世界には不思議な場所があるもんだな」

船でこの街に向かっていた際、冒険者の話に合わせてダンジョンのことも聞いていたが、そこでは特殊な効果を持つ武器や装飾品、運がよければ世に出回っていない、強力な魔法が習得できる【魔法書】などが手に入るらしい。

しかも、どういう原理か、ダンジョンである程度の経験を積むと、冒険者の魔力が増えたり、何かしらの戦力増強が見込めるそうだ。

陽ノ国にそんな場所があるのかは知らないが、少なくとも俺は初めて聞いた。

一体、どんな経緯でそんな不思議な空間ができ上がったんだろうか。

「ふむ……となると、これから王都に向かい、そこで魔族に関して調べつつ、戦力を整える、というのがひとまずの目標なのだな」

「ええ」

「ちなみに、最終目的地のエレメンティア王国までは、この国からどれくらいの距離があるんだ？」

「この国がこの大陸の最南端で、エレメンティア王国は最北端ね」

「ふむ……この大陸がどれくらいの大きさなのかは分からないが、かなり遠そうだな」

それにしても、エレメンティア王国か……。

「エレメンティア王国……初めて聞く国名だったな」

「……でしょうね」

俺の反応に、リーズは苦笑いを浮かべるのだった。

＊＊＊

ある程度話がまとまると、俺たちはギルドを出て、そのままリーズの利用している宿に向かった。

「ここが私の利用してる『ヒーリス』よ」

「おお……」

紹介されたヒーリスという宿は、冒険者ギルドからも近く、周辺に様々な店が立ち並んでおり、非常に利便性の高そうな立地だった。

その上、外観も白い石造りで、とても綺麗《きれい》だ。

中に入ると、ギルドに併設されていた酒場をもっと大きくし、さらに清潔にしたような食堂が広がっていた。

右手には受付らしきものがあり、そこに立っていた女性がリーズに気づく。

「あら！　リーズちゃん！　無事だったのね！」

「ごめんなさい……心配させちゃったわね」

「いいのよぉ、こうしてリーズちゃんが無事だったのなら！　それで、どうする？　いつもの部屋は空いてるわよ？」

「それじゃあいつも通り、一週間ほどお願いします。それと……彼の部屋も用意できるかしら？」

「彼？　って、あらあら！　ごめんなさい、気づかなかったわ」

すると、ようやく女性は俺の姿を認識したようで、慌てて謝罪する。

「いえ、こちらこそすみません」

「まあまあ。それで、部屋なら空いてるわよ」

「なら、彼の分もお願い。ひとまず同じく一週間で、代金は私が払うわ」

リーズがそう言うと、女性は目を見開く。

「珍しいこともあるわね……今まで一人だったリーズちゃんが誰かを連れてくるなんて……しかも、男の子！」

「もう！　変な詮索はしないでよ？　別にそういう関係じゃないんだし」

「あら、ごめんなさいね。この歳《とし》になるとどうも……ふふ」

女性は朗らかに笑うと、俺の方に向き直り、頭を下げる。

「ようこそ、ヒーリスへ。私はアンナ。よろしくね」

「刀真です。こちらこそ、お世話になります」

アンナさんとの挨拶のあと、俺たちは部屋の鍵を受け取りながら、宿の説明を受けた。

陽ノ国では湯浴《ゆあ》みが普通だったのだが、このレストラルには湯浴みの文化はなく、毎日新鮮な水と布を宿の方が運んできてくれるので、それで体を拭いたりするそうだ。

また、裏庭があるらしく、そこには井戸もあり、そこで顔を洗ったりしていいと。

ちなみに、その裏庭で軽く修練をしていいか訊ねると、物さえ壊さなければ大丈夫だと言われた。これは有難《ありがた》い。

ここ数日は海の上だったので、変則的な修練しかできなかったからな。

他にも、ここでは宿泊代に朝食と夕食も含まれているらしい。ますますリーズには頭が上がらないな。少しでもリーズのために働くことで恩を返すとしよう。

そんなこんなで俺が一度部屋に向かうと、どうやらリーズの部屋とはお隣同士だった。

「これなら何かあっても、すぐに対処できるわね」

「そうだな。この距離なら、壁を壊してでもリーズを護《まも》れるだろう」

「……いや、なるべくそれは避けてね？」

リーズは頰を引きつらせながらそう言うが、相手が何をしてくるか分からない以上、壁を壊すことも想定しておくべきだ。

「それと、もう夕方だし、下で一緒に食事をとりましょう。陽ノ国以外の食事は初めてでしょう？」

「ああ」

そんな約束をしたあと、一度部屋に入ると、その内装に驚く。

まず、陽ノ国とは違い、床に布団《ふとん》を敷いて寝るという習慣がないようで、ベッドという寝具が置かれていた。

他にも座椅子ではなく、椅子や机などがあったりと、陽ノ国ではあまり見ない様式の家具が多い。

ただ、俺にはそこまで戸惑いがなかった。なんせ七年間は野外で寝泊まりしていた人間だからな。今さら別の文化に触れたところで何も思わない。むしろ、大陸の文化どころか、人間の文化に触れること自体が久々だ。

部屋の内装をある程度観察し終えた俺は、約束していた下の食堂へと向かう。

すると、すでにリーズが席に座っていた。

「すまない、待たせた」

「別に大丈夫よ。それと、注文はこっちでしちゃうけど、大丈夫？」

「ああ。文字が読めないからな」

「うーん……これはそのうち文字も教えるべきね……」

確かに、文字が読めないのはかなり大きな障害だと気づいた。

リーズからもらった指輪のおかげで意思疎通こそできるが、文字が読めなければ王都の図書館とやらで魔族に関する文献を探したとしても、俺は何の役にも立たないだろうからな。

「それと、一週間部屋を借りたのは、王都に向かう前にこの街で少しでも実力を伸ばすため、鍛えておきたかったからなの。もちろん、一週間程度で劇的に成長することはできないと思うけど……。だから私が修行をしている間は刀真もこの街を見て回ったり、好きにしてていいからね」

「いや、リーズを護ると約束した以上、俺はあまり離れない方がいいだろう？　それに、修行であれば俺も手伝えるが……」

「そう？　私は魔法使いだし、修行も魔法中心のものを考えてるんだけど……」

「魔法か……すまない、確かにそちらは不得手だ」

格闘戦の修行であれば、力になれたのだがな。

魔法については修行を手伝えるほどの力はないだろう。

「気にしないで。それに、稽古はギルドマスターにつけてもらうつもりだし」

「ギルドマスター？」

「そうよ。元Ｓ級冒険者で近接戦闘が得意なんだけど、魔法についても色々と知っている実力者だから、まず安心して」

なるほど、あのギルド内で感じた力強い気配は、そのギルドマスターという者のものだったのだろう。

詳しい魔族の実態は分からないが、関所で感じた気配程度であれば、ギルドマスターでも何とかなるだろう。

「そうか……」

「それに、刀真もせっかく冒険者になったんだし、ギルドの依頼を受けたりしながら、この街、この国、この大陸を少しでも体感した方がいいわよ？　私の復讐《ふくしゅう》に付き合ってくれるとはいえ、アンタの人生はアンタのものなんだから」

「俺の人生……」

リーズの言う通り、俺には師匠の技を伝え残す使命がある。

そのためにも、いずれ弟子を取るために、この異国の地に慣れておく方がいいか……。

俺はひとまず納得すると、頷《うなず》いた。

「分かった。適当に街を探索しつつ、リーズの準備が終わるのを待とう」

そんな感じで談笑していると、ついに食事が運ばれてきた。

俺の前に置かれたのは、なんらかの動物の肉を焼いたものと、新鮮そうな野菜、温かそうな汁物に、見慣れぬ茶色い物体だった。

「これは……？」

「そういえば、陽ノ国って主食がお米だったわね。これはパンって言うんだけど……この大陸では主食とされてる食べ物よ」

「なるほど……」

ひとまず見つめていても料理が冷めるだけなので、俺は手を合わせたのち、パンを口に含んだ。

すると、ほのかな甘みとふわりとした食感が口に広がる。

続いて肉や野菜に手を付けるが、そのどれもが非常に美味だった。

思わず無我夢中で食事を続けていると、リーズが呆気《あっけ》にとられる。

「そ、そんなに急いで食べなくても……」

「あ……す、すまない。まともな食事は……十年ぶりだからな」

「十年⁉」

俺の食事が兵糧丸《ひょうろうがん》に変わったのは、七歳の頃。

まさに俺が命刀を発現できなかった時からだ。

それまでも魔力が扱えなかったことで、雑な対応をされてきたが、それでもまだ人間らしい食事をとらせてもらっていた。

しかし、命刀の件があってからは……。

「……本来、食事とはこういうものだったな。食道楽が生まれるのも頷ける」

俺は今、十年ぶりに食事の喜びを噛《か》みしめていた。

それと同時に、俺の体内で強い力が生まれるのを感じ取っていた。

これは……今、俺が口にした食材が持っていた力か。

今までの俺は、兵糧丸というまさに栄養補給だけを考えた食事をしてきた。

そこに、力や生命力などは一切感じ取れない。

兵糧丸以外には、倒した妖魔をそのまま丸焼きにして食べてきたが、あれも食材の持つ力を吸収するという点では優れていた。しかし、今食べている料理ほど、食材の持つ力が引き出されてはいなかった。

料理人が味を考え、その食材の良さを最大限まで引き出しているからこそ感じ取れる力強さだ。

今俺が口にしている食事は、栄養補給の効率という面では、兵糧丸に比べて確かに非効率的だろう。

だが、この食事を通して、その食材が持っていた生命力などの力が俺の血肉となっていくのを確かに感じていた。

「島でも殺した相手の血肉は己の物にしてきた。しかし、この食事はそれとも違う。調理技術を駆使することで、本来食材に備わっている力や味が極限まで引き出されている。これは素晴らしい」

「そ、そう」

俺の発言に何とも言えない表情を浮かべるリーズ。

そんな彼女をよそに、俺は目の前の食事に没頭していくのだった。

＊＊＊

レストラルにある小さな屋敷の、とある一室。

そこで一人の男が頭を抱えていた。

「クソっ……！　何故《なぜ》ヤツが生きている!?　あの海に飛び込んだというのに……！」

その男は、まさにリーズを襲った魔族であり、自身の主《あるじ》にリーズを殺したと報告したばかりだった。

主から、リーズが確実に死んだかどうかを確認するため、この街に留《とど》まり、監視するように命じられていたものの、男はリーズが死んでいると信じて疑っていなかった。

しかし、リーズは生きて戻って来たのである。

これは男にとって……否《いな》、魔族にとって非常にまずい状況だった。

本来なら、リーズが港に到着し、関所で見かけた時点で殺すべきだった。

そうしなければ、魔族の情報がリーズを介して広まる可能性が高まるからだ。

だからこそ、男は港でリーズを殺すべく隙を窺《うかが》っていたのだが……。

「一体、何者なのだ……？」

男の気配を察知した者が現れたのだ。

それに気づいた男は、すぐさまリーズから意識を離し、気配を消したものの、相手に警戒される切っ掛けを与えてしまったのである。

しかも、自分の気配を察知した者が誰なのか、男は見つけることができなかった。

「街の噂《うわさ》では、リーズは妙な陽ノ国人と一緒だったらしいが……」

噂を探れども、リーズと共にいた男が陽ノ国人だったこと以外の情報が何もなかった。

それだけ相手が自身の気配を希薄にするのが得意なのだと、男は判断する。

「クソッ！　このままでは……。その陽ノ国人とエレメンティアの末裔《まつえい》がどのような関係かは不明だが……我々の情報が伝えられている可能性は高い……すぐにでも殺しに行きたいが、相手も警戒しているだろう……」

男はその場をうろつきながら、今後の行動を考えていた。

「時間はかけられんが、情報はほしい……ここは【潜魔《せんま》】を放ち、ヤツの動向を監視するべきか……」

そう口にすると、男は手を突き出した。

その瞬間、以前リーズを船上で追い詰めた時のような黒い靄が部屋を満たす。

その靄は床に染《し》み込み、やがて奇妙な文字が刻まれた魔法陣へと変わった。

「主の呼びかけに応えよ！」

力強い男の発言と同時に、床の魔法陣が怪しく光り出す。

その光が徐々に強まると、やがて魔法陣の下から黒いヘドロのような生命体が、三つ現れた。

それらは赤く光る瞳のようなものを持っており、大人しくその場に佇《たたず》んでいる。

「エレメンティアの末裔を見張れ。それと、もし可能であるならば、その場で殺しても構わん。ただし……我々の存在がバレてはならんぞ」

男の命令に対し、三体の黒いヘドロは頷くような仕草をすると、そのまま闇に溶けるように消えていく。

「……ひとまずこれでいいが……果たして本当に大丈夫だろうか……もし失敗すれば、私は主に殺されてしまう……！」

まだリーズが生きていることを男の主に知られるわけにはいかず、男はリーズを殺すことに必死だった。

「……失敗した時を考え、あの計画を動かす準備をしておくか……」

そう呟《つぶや》くと、男もまた新たに動き始めるのだった。

＊＊＊

翌日。

俺は早朝に目を覚ますと、宿の裏庭に向かった。

裏庭には中央に井戸が設置されてる以外は何も置かれていないものの、そんなに広いわけではなく、あまり激しい運動はできなそうだ。

俺は、ひとまず日課である全身の鍛錬や柔軟運動、覇天拳の型稽古を終えると、皇刀を出現させる。

「君臨せよ――皇刀！」

命刀を発現させるために必要な、『命言』を詠唱した瞬間、俺の胸から白銀に輝く刀が現れた。

その皇刀を手に、軽くその場で馴染《なじ》ませるように振り下ろす。

「ここでは木刀の方が有難《ありがた》いんだが……」

実戦を想定した訓練なら、命刀を出現させ、それで修練するのが一番である。

しかし、実戦想定の訓練になると、周囲を荒らしてしまう可能性があった。

この裏庭でも物を壊さなければ修練してもいいという話だったが、何かの拍子で裏庭を荒らしてしまう可能性はある。

……いや、正確には俺自身がまだまだ未熟だからこそ、何かしら粗相をする可能性が高かったのだ。

なので本当は木刀のような、ある程度安全な道具を使って修練したかったのだが……ないものを考えても仕方がないな。早く、己の力を正確に制御できるようになりたいものだ。

俺は皇刀を構えると、一つ一つ確認するように降神一刀流の型を確かめていく。

そしてそれが済むと、今度は実戦を想定し、対戦相手を思い浮かべながら型を駆使して仮想修練を行った。

ただ、今の俺が想像できる相手は、ほとんど妖魔ばかりで、師匠も初代皇帝陛下も思い浮かべることができない。

というのも、実力の差があり過ぎて、まともに打ち合える光景が浮かばないのだ。恐らく一太刀目で俺は終わらせられてしまうだろう。

いつかは二人を想定して修練できるよう、今は稽古に励むばかりだ。

こうして仮想修練を終えた俺は、手にした皇刀に目を落とす。

「……まだまだ甘いな」

この刀を伝承されてから多少は腕が上がったとは思うものの、覇天拳に比べれば実戦で使えるような状態じゃない。

覇天拳もそうだが、それぞれの流派には決まった魔力や気の運用法が存在する。

魔力は心臓で生み出され、神経と同じように、体の細胞一つ一つに張り巡らされた魔脈を循環しているわけだが、その魔脈に魔力を通す順序や箇所などが一つ一つ技ごとに異なるのだ。

だからこそ、ただ型を真似《まね》するだけでは決してその技を修得できないのである。

それこそ魔力の通り道など、星の数ほど存在するのだ。天文学的な確率で偶然その通り道に当たったとしても、それを覚えておくことは不可能だろう。

ゆえに、我々は師匠の下で正しい魔力の通り道を学び、体に叩《たた》き込み、刻み付けるのだ。

気に関しても同じで、こちらは魔力ほど複雑かつ難易度が高いものではないが、気を纏《まと》わせる箇所などは学ばねば分からない。

そして今の俺は、覇天拳こそある程度体に馴染み、実戦で使うことができていたが、降神一刀流に関しては、型と魔力の流れなどを意識するので精一杯であり、とても実戦では使えないというのが正直なところだった。初代皇帝陛下のように、変幻自在の攻撃はまだまだできない。とはいえ、いつまでも型の練習をしているわけにもいかないので、どこかで実戦経験も積む必要があるだろう。

そんな降神一刀流だが、今は刀の型とは別の部分で悩んでいた。

それは……。

「うむ……歩法が難しすぎる……」

降神一刀流の中には、刀の振り方の他に歩き方まで含まれており、この歩法の極致こそ、初代皇帝陛下が俺との戦闘で見せた、分身術だった。

もちろん覇天拳にも独自の歩法は存在するが、こちらは師匠からしっかりと教えてもらえたので、身に付いている。

しかし、降神一刀流に関しては変則的な方法で伝承され、まさに型や技を精神体に叩き込まれただけの状況なのだ。

あの洞窟を出て、肉体にも精神体での経験が反映されたとはいえ、やはり直接的に学んだわけではない。

だからこそ、精神体で初代皇帝陛下と戦った時の感覚を呼び覚ましながら修練に励んでいるのだ。

その中の一つが歩法であり、かなり特殊な技術だった。

「魔力や闘気の流し方は分かるが……」

それは魔力と闘気を体から分離させつつ、そこに独特な歩法を加えることで、俺の姿が何人にも見えるようにするものだ。

実際にそれを相手にする厄介さは戦いの中で身に染みている。

それくらい、増えた姿が本物と変わらず、見分けがつかないのだ。

それを実現するための技術として、魔力と闘気の分離法と、特殊な足運びが存在する。

「どちらも修練あるのみ、だな」

思わずため息を吐《つ》くと、俺は気持ちを切り替えて最後の型の修練を始めた。

まず俺は上段に構えをとると、あの初代皇帝陛下が極魔を相手に見せた、最後の一太刀を思い浮かべる。

――――静寂。

ただ、一太刀。

そこに雑念はなく、自然体。

俺が集中を深めていくと、やがて周囲の景色や音が消えた。

そして――――。

「――――ッ！」

一刀。

振り下ろし、残心。

その一太刀を繰り出した瞬間、その場を静寂が支配し、触れるものすべてを斬り裂くような、鋭い気配が周囲を満たした。

その数瞬後、消えていた音や景色が元に戻り、俺の体中から汗が噴き出した。

「かはっ！　はぁ……はぁ……」

たった一太刀。

振り下ろすだけのそのひと動作で、俺は汗だくになっていた。

「こ、これは……本当に実戦じゃ使えない……な……」

最終目標は、あの初代皇帝陛下のように、今の技を自然と繰り出せること。

しかし、今の俺は散々時間をかけ、極限まで集中して初めてそれなりの一太刀しか振り下ろすことができなかった。

だが、まだ未熟な一撃とはいえ、その威力は『覇天拳』を遥《はる》かに超えるだろう。

「はぁ……はぁ……まずは、一回で息切れしないように慣れないとな……」

もう体を動かすのも億劫《おっくう》なほど、俺は今の一太刀だけで疲れ果てていた。

「これは、今後も確実に修練の最後にしないとな……」

そう決意したところで、俺は気怠《けだる》い体を引きずりつつ、井戸から水をくみ上げると、その水で全身の汗を洗い流すのだった。

＊＊＊

ある程度身だしなみを整えた俺は、まだまだ朝食まで余裕があるため、その時間を潰すべく、見回りも兼ねて街を散歩することに。

宿の外に出ると、やはり活動している人は少なく、冷たい空気が肺を満たした。

「そうだな……こっちに行ってみるか」

そう決めた方向は、俺たちが最初に着いた港とは反対の方角だった。

ちなみに宿を出る前、周囲の気配を探ってみたが、特におかしな気配は感じ取れなかった。

一応、この街全域程度であれば、どこにいてもリーズの気配は察知できるが、警戒しておくことは忘れない。

……夜にでも襲撃があるかと思ったが、それは杞憂《きゆう》に終わった。どうやら相手も慎重に動いているようだ。

このまま相手が動くのを待ってもいいが、こちらから相手を見つけられれば有利に動けるだろう。

それに、襲われた時に備え、街の造りを把握しておくのも大事だ。

なので、俺は散歩ついでに関所で感じた魔族の気配を思い出しながら、その気配の主を探すことにした。

まだ薄暗い街を当てもなくぶらぶらと散歩していると、不意に人の気配が集まっている場所があることに気づく。

「これは……」

こんな朝早くから何をしているのか気になった俺は、その気配の方に向かう。

すると、そこには港とは別の門があった。

よく見ると、門の向こうには平原が広がっていて、どうやらこの門が、レストラルの出入り口、街の外との境界線らしい。

そして俺が察知した気配は、門を出てすぐのところに集まっているようだった。

「総員、構え！　……第一の型！」

『ハッ！』

俺が気配の方に向かうと、そこには統一された鎧《よろい》を身に着けた男たちが、列になって剣を振るっているのが見えた。

恐らくこの街の衛兵だと思うが、早朝から訓練をしているらしい。

そんなことよりも、俺はその兵士たちが訓練している剣術に興味が出た。

「これは……大陸の剣術か」

俺が知っている武術は、護堂家の古我流、師匠の覇天拳と降神一刀流だけ。

他の流派については何も知らないので、大陸の剣術は非常に気になる。

とはいえ、他流派の修練を無断で見学するのもあれなので、外に出るついでに門番を担当している兵士に声をかけることにした。

「すみません」

「うおっ⁉　び、びっくりした……」

「あっ……す、すみません」

「い、いや、俺も気づかなくてすまなかった。それで、どうした……って、まさかこんな早い時間から街の外に出るのか？　それに、その恰好《かっこう》は……」

「見ての通り、陽ノ国から来ました。とはいえ、昨日この街に来たばかりなんですけどね」

「なるほど……それは珍しいな。まあいい。街の外に出るのであれば、身分証を確認させてもらうが……」

「これで大丈夫ですか？」

俺がギルドカードを差し出すと、兵士は受け取り、確認したのち返却される。

「大丈夫だ。それにしても、こんな朝早くからどこに行くんだ？　Ｅ級冒険者とはいえ、この時間から薬草採取するわけでもないだろうに……」

「その、兵士の方々の訓練を見学させてもらおうと思いまして……」

「見学？」

すると、俺の言葉に兵士は怪訝《けげん》な表情を浮かべた。

「たまたま兵士の皆さんが剣術の訓練をしているのが見えまして……私自身、武を嗜《たしな》んでいるものですから、見慣れぬ武術が気になってしまいまして……。難しいですかね？」

「いや、それくらいなら……ひとまず隊長に掛け合ってみよう」

何とも言えない表情を浮かべていた兵士は、別の兵士に声をかけたのち、隊長に確認を取りに向かった。

それまでの間も訓練の様子を見ていると、先ほどの兵士が戻って来る。

「許可が下りたぞ。ただ、邪魔にならないようにしてくれよ？」

「分かりました、ありがとうございます」

許可が下りたということで、俺は早速兵士たちが訓練をしているところへ向かう。

一応、訓練中ということで、いつも通り気配を希薄にして近づくと、相手を驚かせてしまう上に警戒されるかもしれない。

なので、俺はあえて気配を発するように意識しながら近づいていく。

すると、俺の姿を認識した兵士たちが怪訝そうな表情を浮かべた。

「よそ見をするな！　いいから気にせず訓練を続けろ！」

『ハッ！』

隊長と思われる人物が一喝すると、兵士たちはすぐに気を引き締めなおし、訓練を再開させた。

俺はその隊長に頭を下げる。

「すみません、無理を言ってしまい……」

「いや、特に問題はないが……我々の訓練など見て、楽しいか？」

「はい。あの門の方にも言いましたが、私も武術を修める身として、少しでも学べることがあればと。もしよろしければ、どんな剣術なのか教えてもらえますか？」

「う、うーん……君がいいのなら、まあいいか。今訓練しているのは、アールスト王国では一般的な【アールスト王国剣術】と呼ばれるものだ。特に変わったところもない、ごく平凡な剣術だと思うが……すまない。これ以上の説明は難しい。強いて言うならば、アールスト王国を建国したレオナルド・アールスト陛下の忠臣であり、初代剣聖のクラウゼン・ボルトが編み出したと言われている。まあ剣聖が編み出したにしては平凡すぎる剣術だと思うがな」

「……」

訓練している兵士を眺めながら、隊長の言葉を聞いていたが、俺はその剣術が平凡だとは思わなかった。

というのも、いくつかの型を流れるように繰り出す兵士たちを見て、この剣術の非凡さを強く実感したからだ。

むしろ、この剣術を生み出した初代剣聖という人物に畏怖さえ覚えた。

確かに隊長の言う通り、特に変わった動きがあるわけではないが、この剣術の神髄は応用の幅が恐ろしいほどに広いことと、誰でも戦う力を得られることにある。

それは、兵士たちの流れるような動きからも見て取れた。

しかも、魔力の流れを見てみると、一つの通り道だけでなく、いくつかの選択肢が用意されており、そのどれに魔力を通しても同じ力を発揮するようにできているのだ。これならば、多少魔力の扱いに不安がある者であっても、立派な剣術を身に付けられるはずだ。

その上、扱いやすい魔力の流れでありながら、発揮される効果が大きく、恐らくこの魔力の流れであれば、相手がよほど強力な武術を修めていない限り、力負けすることはないだろう。しかも、しっかりと強力な相手と打ち合った際、その衝撃を綺麗《きれい》に逃がすための魔力の通し道まで用意されているのだ。

ここまで完成されている剣術を目にできるとは……。

すると、兵士たちの動きを真剣に見つめる俺に対し、隊長が困惑した様子で訊《き》いてきた。

「そ、その……ところで君は、誰なんだ？」

「え？　あ、ああ……すみません。私は刀真と申します。昨日、この街に来たばかりの陽ノ国人です」

「あ、ああ！　そういえば、昨日は【黄金の魔女《ゴールデン・ウィッチ》】が妙な陽ノ国人と共に帰還したという話を聞いたな」

「ゴールデン・ウィッチ？」

「ん？　知らんのか？　Ａ級冒険者のリーズのことだよ。一緒にいたんだろう？」

「ええ。確かに一緒にこの街まで来ましたが、そんな呼び名は初めて耳にしました」

「まあ陽ノ国の出身であれば、それも仕方がないことか。だが、彼女はすごいんだぞ？　強力な雷属性の魔法の使い手で、若くしてＡ級冒険者にまで上り詰めたんだ。しかも、たった一人で！　これがどれだけすごいことか分かるだろう？」

リーズがどんな魔法を使うのか知らなかったが、雷属性を使うのか。

俺は魔法に関しては得意ではなく、三節以上の詠唱が必要となる魔法は使えないが、一応全属性の魔法が扱える。

船の旅の中でも、リーズが魔法を使ってる姿は見なかったが、少なくとも俺より魔法の扱いが上手《うま》いのは間違いないだろう。

それにしても……彼女はどんな気持ちで、今の地位にまで上り詰めたのだろうか。

幼い頃から復讐《ふくしゅう》するために生き延び、たった一人で力を蓄え続けたはずだ。

誰にも頼ることなく、たった一人で……。

……だがその道行きに、これからは俺もいる。

どこまで力になれるか分からんが、全力を尽くすまでだ。

まさかこんな場所でリーズの話が聞けると思わず、つい話し込んでいると、隊長が言葉を続ける。

「それより、どうかな？　何か参考になるものでもあったか？」

「はい。やはり、見に来て正解でした」

俺が素直にそう告げると、何故《なぜ》か隊長は驚く。

「そ、そうか？　特に変わった剣術ではないと思うが……所詮、ありふれた動きの組み合わせでしかないからな……。それに、真の実力者のように、斬撃を飛ばしているわけでもないしな」

「別に斬撃を飛ばせることと、実力があるかどうかは別ですよ。それにアールスト王国剣術は、確かに一つ一つの動きは簡素ですが、その代わりどんな相手にでも万全に対処できるはずです」

「何？」

このアールスト王国剣術は、動きや型自体は非常に簡単だ。というより、剣術における基礎そのものが型と言える。

しかし、見知らぬ流派の者とアールスト王国剣術を修めた者が戦うことになったとしても、アールスト王国剣術を極めていれば、問題なく対処できるだろう。

それほどまでに動きの応用が利《き》く上に、魔力の流れが完成されているのだ。

何より、基礎こそがすべてであり、基礎を極めることが奥義《おうぎ》に繋《つな》がるというのは、師匠との訓練でも身に染《し》みていた。

「少し、場所をお借りしてもいいですか？」

「え？　そ、それはいいが、何をするんだ？」

「いえ、皆さんの動きを見ていたら、少し体を動かしたくなりまして……」

早速、アールスト王国剣術を再現してみようと思ったが、ここで皇刀を発現させるのは少し躊躇《ためら》われた。

それに、皆さんから剣を借りるのも悪いので、俺は剣指を作ると、アールスト王国剣術の魔力の流れと型をなぞっていく。

……ん、いい感じだ。

この魔力の流れを上手く使えば、今の俺の課題でもある降神一刀流の技と技の繋ぎを滑らかに行えるだろう。

「ば、バカな……型はともかく、魔力の流れまで完全に再現しているだと……!?」

「……隊長、魔力の流れも教えたんですか？」

「んなわけあるか！　たとえ教えたとしても、たった一度で覚えられるはずがないだろ！」

「で、ですが、彼の動きを見た感じ、魔力の流れまで完璧に再現されてますよね……？教えてもいないのにどうして……」

「そんなもの、俺が聞きたいくらいだ……」

つい楽しくなって、俺はアールスト王国剣術の型に没頭していった。

やはりこの剣術は、今の俺にこそ必要なものだ。

というのも、降神一刀流は防ぐ間もなく相手を仕留める怒涛《どとう》の攻撃刀術だが、初代皇帝陛下はそれらの攻撃的な技を上手く使い分け、防御にも応用していた。それはまさに、刀術を手足のように使いこなせていることの証左。

だが、俺はまだその領域に達していない。技や型を覚えたまでに過ぎず、変幻自在な攻撃にはまだまだ遠い。どうしても技と技の繋ぎ目に違和感が生じてしまうのだ。

そこでこのアールスト王国剣術を上手く組み込むことができれば、俺自身の応用力の向上に繋がるというわけである。

さらに実際に動いて分かったが、このアールスト王国剣術の魔力の流れは非常に簡単で、それは多くの者にとって学びやすいということ。

今回は軽くアールスト王国剣術に触れただけだったが、より研究していけば、降神一刀流だけでなく、覇天拳にも応用できるだろう。

ある程度のところで満足すると、いつの間にか隊長含め、訓練中だった兵士たちも、俺を見ていることに気づく。

「あの、何か……？」

「い、いや、その……型はともかく、どうやって魔力の流れを再現したのかと……」

「見て覚えました」

『……』

俺の答えに、何故か沈黙する隊長たち。

そこまでおかしなことを言っただろうか……？　アールスト王国剣術は、魔力の流れが非常に簡単なので、覚えるのも大変じゃないはずだ。

「それよりも、素晴らしい剣術ですね。もしよろしければ、明日も見学しに来ていいですか？」

「あ、ああ。それは構わないが……」

「ありがとうございます！　あ……そろそろ日が昇りますし、失礼しますね」

「う、うむ」

俺は隊長や訓練中の兵士に頭を下げると、街へと戻るのだった。

「……見て覚えたって……魔力の流れが見えるとでも言うのか……？」

「感知するならともかく、魔力の流れが見えるなんてありえないですよ……」

「そ、そうだよな。だが、そうなるとどうやって……？」

――俺が去ったあと、兵士たちの間でそんなやり取りがあったことを、俺は知る由《よし》もなかった。

＊＊＊

「ふぅ……」

朝、目を覚ました私……リーズは、冷たい水とタオルで寝汗を拭いながら、昨日のことを思い出していた。


『――君と共に行きたいのだ』

私のすべてを打ち明けてなお、一緒にいたいと言ってくれた刀真。

最初に出会った時こそ、私が一方的に警戒していたが、彼は脱出不可能と思われた極魔島から、私を連れ出してくれた。

もし刀真と出会えていなければ私は、あのまま極魔島で朽ちていただろう。

そして船旅の中でも、彼は襲い来る凶悪な海の魔物をも容易《たやす》く倒してしまい、その言葉通り私をこのレストラルまで護《まも》り抜いてくれた。

……今まで他人を遠ざけ、一人で生きていこうとしてきた私にとって、あんなにも安心感を覚えたのは初めてだった。

そんな彼が、私の復讐に協力してくれると言うのだ。

私の存在があの島を出る勇気になったと刀真は言うが……私がいなくても、彼は島を出ていただろう。

だが、彼はあくまで私のおかげだと言ってくれる。

「……勇気なら、私の方がもらってるわよ……」

一人で気張ってきた私に、初めて仲間ができたのだ。

そんな仲間に迷惑をかけないためにも、私は……。

「……強くならなきゃ」

改めてそう誓うと、私は身支度を整えるのだった。

＊＊＊

――レストラルの街に着いてから数日。

俺……刀真は、リーズの修行が終わるまでの間、ギルドの依頼をこなしつつ、平穏な日々を過ごしていた。

とはいえ、リーズとの交流がなくなったわけでもなく、リーズの手が空いている時は、文字を習いつつ、この街やアールスト王国についても教えてもらっている。

そんな中で、いくつか変わったことがあった。

その一つが俺の冒険者としての階級だ。

登録当初はE級だったわけだが、この数日、毎日薬草採取や街の清掃の依頼をこなしていると、自然とD級に上がった。

これはリリーさんからの説明でも言われていたし、実際にD級の依頼を見ても思ったことだが、ここからが冒険者として本格的に活動を始められるといったところだろう。

ただ、一つ分からないのが、薬草採取の依頼で指定されていた薬草の種類についてだ。

その依頼で採取してきた薬草は、回復薬に使うためのものだった。

採取対象は『ハムサ草』と呼ばれるもので、葉が五枚に分かれている特徴的なものだったが、これを使って作る回復薬を俺は知らない。

ちなみに師匠との修行では、覇天拳の他にも人体の構造や、薬学を学んでいた。

というのも、師匠には拳士だけでなく治療師としての一面もあったらしく、その知識も俺に教えてくれたのである。

そんなわけで、俺もある程度薬については知識があったが、『ハムサ草』で作る回復薬については、特に聞いたことがなかった。

とはいえ、依頼内容に口を出すのもおかしな話なので、特に気にすることなく薬草を採取して提出している。そのうちこのアールスト王国で研究されている回復薬の調薬法を知ることができればいいな。

また、前に見学させてもらった衛兵の訓練だが、そのあとも毎日通い続け、今では兵士たちと顔見知りになった。

街中で衛兵の方に会うと、挨拶されることも多い。

まあ俺がリーズと共に行動していたというのも大きいのだろう。この街で、リーズは非常に多くの人々から声をかけられていたからな。それだけ彼女が愛されている証拠だろう。

こうして順調に毎日を過ごしていたわけだが、ついに魔族が動きだすのだった――。

＊＊＊

夜中。

俺はこの宿に近づく妙な気配を察知し、目を醒《さ》ました。

普通の人の気配であれば、ここまで気にする必要もなかっただろう。

しかし、この気配の主たちはまっすぐリーズの部屋の窓を目掛けて向かっており、その上、自身の気配も巧みに隠していた。

「友好的……という感じでもなさそうだ」

気配の数は三つ。

しかも……。

「この気配は……？」

俺が感じている気配は、この街に到着した際に港で感じ取ったものと同じ種類のものなのだ。

あの時の視線の主とは別の存在だろうが、この気配は恐らく魔族に近しい者が持つものであることに間違いはないだろう。

「ん……」

つまり、相手が動き出したということでもある。

「ただの偵察という可能性もあるが……相手の実力が分からない以上、このまま泳がせるより、対処した方がいいか」

一応、隣の部屋のリーズの気配を探るが、この状況に気づいていないようで、安らかに眠っている。

となれば、俺がやることは決まっていた。

「さて……行くか」

俺は宿の窓を開けると、そこから周囲に溶け込むように気配を散らした。

そして、近づいてくる集団の方へ向かうと、そこにはヘドロを集めたような、不気味な存在が三体集まっていた。あれが魔族なのか……？

その三体は、俺たちの泊まっている宿にじっとりとした視線を向けている。恐らく、監視することが目的なのだろう。

すると、三体はそれぞれ示し合わせたように離散し、バラバラの位置に移動していった。

……このまま複数箇所から襲撃されると面倒だな。

そう判断した俺は、まず一番近くのヘドロの元に移動する。

そのまま一体目の背後に立つと、俺は手刀を作り、そこに魔力と気を一瞬で集め、そのままヘドロの頭部を貫いた。

「⁉」

ヘドロのような魔族は、体を大きく震わせると、そのまま形を保てず、地に広がっていく。

俺はすぐにその場から離れ、気配を希薄にしたまま、そのヘドロの様子を窺《うかが》っていたが、起き上がる気配はない。

「……倒せたみたいだな」

相手が本当に生物なのかどうかも分からなかったため、念のために魔力と気を使って攻撃したのだが、しっかりと倒せたようでよかった。

これが人間などであれば、捕まえて情報を吐き出させてもよかったのだが、見たところ、このヘドロが口などを利《き》けるような存在には見えない。

それに、このヘドロを介して、遠隔から俺の存在を察知する術が存在するかもしれなかった。

「もしそうなら、こいつを一体消したことは、敵にすぐに伝わるな」

現状、俺の気配は他の二体に察知されていないと思うが、その可能性がある以上、残りも素早く対処する必要がある。

俺は別のヘドロの元に向かうと、先ほどと同じように魔力と気を纏《まと》わせた手刀にて、相手の体を斬り裂いた。

先ほどは頭部を貫く形で殺したわけだが、体を斬り裂いた場合でもしっかり相手は倒せるようだ。

このヘドロたちから生命の息吹《いぶき》は感じられないが、そこら辺は俺たち生物と変わらないらしい。

最後の一体は、やはり魔族同士で目に見えない繫《つな》がりのようなものがあったらしく、それまで以上に警戒した様子で周囲を見渡し、文字通り影に溶け込むようにしながら、リーズの部屋に向かって移動していた。

しかも、どうやら最後のヘドロは監視だけの任務から、直接的な攻撃へと目的を移行したのかもしれない。

ただ、俺もここでこのヘドロをリーズの元に通すつもりは毛頭なかった。

「『絶影脚《ぜつえいきゃく》』」

「!?」

俺は飛翔《ひしょう》して、ヘドロの頭上に身を躍らせると、そのままそいつの頭を踵《かかと》から蹴り抜いた。

これは、文字通り影をも絶つ鋭い一閃《いっせん》を放つ技である。本来はあくまで歩法の一つなのだが、師匠から技を学んだ俺が極魔島で過ごす中で、移動しながら攻撃できるように昇華させた技だった。

最後の一体を蹴り抜いた俺は、その勢いで足が地面に触れる瞬間、一気に減速させ、物音一つ立てずに着地する。

そして俺の技をもろに受けたヘドロは、そのまま頭頂から真っすぐに斬り裂かれ、地に崩れ落ち、消えていった。

「ふぅ……ひとまず、リーズに気づかれずに処理できたな」

ヘドロたちを倒したことが果たしてよかったのかは分からないが、ひとまず敵の魔族には、リーズ側に使い魔のヘドロを倒せる存在がいること以外、何も伝わらないだろう。

そして、このヘドロ程度であれば、この街にも倒せる人間は何人かいる。つまり、相手にはほとんど情報が渡らないはずだ。

まあ俺たちも魔族の情報はほとんど手に入ってないわけだが……。

「……何にせよ、そろそろこの街を離れた方がいいのかもしれないな」

できれば隠れて出発したいが、そうも言ってられないだろう。何よりリーズは、この街の人々と交流もある。黙って街を出ていくのは忍びないはずだ。

そんなことを思っていると、リーズの部屋の窓が開く。

「んん……何か変な気配が……」

「あ……」

すると、リーズは薄着のまま、窓から顔を出した。

そして寝ぼけ眼をこすりながら俺を見つけると、動きを止める。

「な、何してるのよ、こんな時間に……」

「その……修行をしていたというか……すまない、起こしたな」

リーズから視線を外しつつ、俺が謝罪を口にすると、彼女はようやく頭が覚醒してきたようで眉をひそめた。

「修行？　ちょっとは時間を考えっ……!?」

だが、頭が覚醒したことで、リーズは自分の姿に思い至ったらしく、顔を赤く染める。

そして、すぐに体を引っ込めると、どこか恨めしそうに窓から顔だけをのぞかせた。

「……見た？」

「……」

「答えなさいよ！」

沈黙は金なりとはよく言ったもので、俺が黙ったことで、リーズはこれ以上問い詰めても俺が何も答えないと悟ったようだ。

「……もういいわよ。とにかく！　こんな時間に修行なんて周りに迷惑だから、いい加減寝なさい！」

「……承知した」

そう告げられると、リーズの部屋の窓が閉まった。

ひとまずリーズに襲撃のことがバレなかったようで、俺は一息つく。

そして、俺は何事もなかったかのように部屋に戻り、布団《ふとん》に入った。

最初はこのベッドにも驚いたが、寝てみると案外心地いい。

「さてと……この街を発《た》つのはいいとして、あのヘドロたちの主《あるじ》が出てきてくれれば少しは楽になるのだが……」

その主が処理できれば、しばらくは魔族から俺たちの存在を隠すこともできるだろう。

ひとまずヘドロたちの襲撃を防いだことで、俺は再度眠りにつくのだった。

＊＊＊

――ギルドの修練場。

ここは普段、新人冒険者の中でも希望した者が受ける、冒険者講習会に使われることが多かった。

もちろん、普通の修練場としても活用することができるが、大体の冒険者は他の者に自分の手の内を晒《さら》すのを嫌い、別の場所で修行している。

だが、今の私……リーズにとって、そんなことはどうでもよかった。


「――水よ、集え！」


私が呪文を唱えた瞬間、右掌《てのひら》に水の塊が出現した。

その水の塊はふわりとした丸みを帯び、掌の上で回転している。

これは二節の水属性魔法『水球《すいきゅう》』。

一見、簡単そうに見えるだろうが、本来この魔法は水の塊を遠くへと撃ち放つもの。

それを掌の上で固定するように浮かべ続けることも、その水を球体の形で維持することも、並大抵の魔法使いではできない、非常に繊細な技術だった。

ただ、その出来に私は唇を噛《か》んだ。

「……こんなんじゃダメだ」

数日前、私がベラさんに稽古をお願いすると、こうして特定の魔法を発動させる特訓をするように言われた。

それには理由があった。

――思い出すのは、魔族に魔法を封じられた時。

魔族が放った黒い靄が魔力の流れを阻害し、魔法の発動を妨げてきたのだ。

……私は、何もできなかった。

S級冒険者や、魔法使いの頂点たる『十王《じゅうおう》』であれば、あの状況下でも魔法を難なく発動することができただろう。

そんな彼らと私の違いは、魔力の運用方法にあった。

「もっと速く……そして正確に……」

魔力をより速く循環させ、その状態で魔法を発動することで、この水の塊は完全な球体となる。

しかし、私の制御が甘いがゆえに、掌の上の水の球はどこまでもふわりとしたものにしかならなかった。

この点をベラさんに指摘され、外部から如何《いか》なる干渉を受けようとも確実な魔力の運用ができるようになるべく、今の訓練を指示されたのだ。

魔力の運用を精密に行うことで、水の塊を安定させるのである。

「たかが二節の魔法ですら、このレベル……いえ、二節の魔法を完璧に制御できない以上、たかがとか言える立場じゃないわね……」

魔法は唱える呪文の節が長くなればなるほど、扱いが難しくなる。その代わり、威力や効果が優れていくのだ。

「A級冒険者ってのが聞いて呆《あき》れるわね」

思わず自嘲する。

――これまで、家臣の追手から身を護《まも》ることに必死で、ただ冒険者のランクを上げることしか考えてこなかった。

少しでも国から離れ、生き延びるために。

そのために、それまでのすべてを投げ捨て、自分を護るための手段として冒険者の地位を上げ続けたのだ。

もちろん、上のランクになるほど受ける依頼も難しくなるが、私は効率だけを重視して、ランクを上げてきたのである。

だからこそ、他のA級冒険者に比べて経験も乏しければ、自分の実力を磨くことに時間を割いてこなかった。

それでもA級冒険者になれば、国での待遇は貴族と同等になる。

どこの国に行っても、ある程度丁重に扱われるのだ。

地位さえ得れば、もう家臣の追手に怯《おび》えなくていいと……これで復讐《ふくしゅう》のための準備ができると、世間知らずな私は考えていた。

「今にして思えば、笑えるわね」

いくら地位を得たところで相手は国を率いる存在で、私はただの一人。勝ち目などないのだ。

それに、今は、家臣と魔族との繋がりも判明して……まさに現実を知らない夢見がちな少女でしかなかった。

ただ、それでも……おばあ様から学んだ魔法が、あんな方法で封じられるなんて……死ぬほど悔しい。

おばあ様は、かつてＳ級冒険者として名をはせていた。

それこそ、私と同じく雷属性魔法を得意としており、当時は色々な場所で凄《すさ》まじい活躍をしたらしい。

そんなおばあ様から、私は魔法を学んだというのに……。

私は自分の弱さが許せなかった。

国も、家族も、そしておばあ様の魔法すらも、守れない自分が。

Ａ級冒険者になれたのも、私が強かったんじゃない。おばあ様から教わった魔法が強かっただけなのだ。

私が憧れたおばあ様の魔法が、あんな奴《やつ》らに負けちゃダメなのよ……！

強くなって、必ず……私たちのすべてを奪った、家臣たちに復讐してみせる！

「だから……！」

「――そんな焦《あせ》ったって、強くなりゃしないよ」

「っ！」

不意に、声が投げかけられた。

私が声の方に視線を向けると、そこには呆れた表情を浮かべるベラさんの姿が。

「ったく……アンタが稽古をつけてくれって言うから、ここ数日アンタを見てたけどさ。とても見てられないねぇ」

「……何がですか」

「今のアンタの状態だよ。強くなるために稽古をつけてくれって言ったんだろうけど、アンタはもうA級冒険者じゃないか。実力だって十分ある。それなのにまだ力がほしいのかい？」

「……はい」

「……ま、強くなるってのは悪いことじゃない。でも、今のアンタじゃ、何も変わりゃしないよ。どれだけ修行しようともね」

「じゃあ……どうすればいいって言うんですか……！」

私はつい、声を荒げた。

そんなことは私だって分かってる。

そしてこれが、ただの八つ当たりだってことも。

「別に強くなりたいわけじゃないわよ！　私はただ、お父様やお母様と、平和に暮らしたかっただけ……！　どうして私なのよ⁉　力を求める？　仕方ないでしょ⁉　大切なモノを護るためには力がいるんだから！　そりゃあベラさんみたいに強ければ、何の心配もないでしょうよ！　でも、私は違う！　強くないと、何もできないのよ！　弱ければ、奪われるだけなんだから……！」

いったん叫び始めると、止められなかった。

ベラさんに言っても仕方がない。

こんなことをしてる間にも、魔族たちは何か仕掛けてくるかもしれない。

今度こそ、死ぬかもしれないのだ。

まだ、家臣に復讐もできていないのに。

そう思うと、何かを口にしないと不安で押し潰されそうだったのだ。

すると、ベラさんは真剣な表情で私を見つめる。

「結局アンタは——一人で突っ走るのかい？」

「え……」

そう言われて、私は固まった。

「前にも話しただろう？　アンタは、仲間を持ちなって」

「そ、それは……」

「別に、強くなるのに理由もいらないし、身を護るために力を求めるのは何も間違っちゃいない。でもね、それだと結局、一人の力でしかないんだよ」

ベラさんの言葉に、私は呆然《ぼうぜん》とした。

そうだ……国という相手に、たった一人の私では敵《かな》わないと、考えていたばかりではないか。

それなのに、私は未《いま》だに自分一人の力に執着していたのだ。

「アンタがどこに向かってるのかは知らないけど、一人より二人、二人より三人！　同じ志を持つ仲間がいれば、どんな相手にだって向かっていけるんだ」

「あ……」

ベラさんの言葉を聞いて、私の脳裏に刀真の姿が浮かんだ。

……そうだ。私はもう、一人じゃない。

私の道について来てくれる、仲間ができたんだ。

もちろん、国を相手にするとなれば、たかだか一人二人増えたところで何も変わらないだろう。

それでも、一人で足掻《あが》くより、可能性があるのは間違いなかった。

「アンタは何でも一人でやろうとしてるけど、一人で強くなる必要はないんだよ。信頼できる仲間がいるだけで、大きく違ってくるもんさ」

それは、船から身を投げる時、強く感じたことだった。

仲間がいれば、魔族を相手にしても、まだまともに戦えていただろうから。

あれだけ身に染《し》みたにもかかわらず、私はまだ一人にこだわっていたのだ。

それなのに……。

すると、ベラさんは笑う。

「ま、ギルドマスターである以上、さすがに一緒に旅には出られないけど、こうしてアンタの特訓に付き合うくらいはできるよ。ギルドマスターという立場を使って、アンタを護ることもね。アタシだって、アンタの仲間みたいなもんなんだからさ」

「っ……」

その言葉に、私は涙が込み上げてきた。

……まだ、安心できるわけじゃない。

私自身が強くなること自体が大きな力になるはずだ。

そして私が力を付ければ、私の復讐に付き合ってくれると言った刀真の負担を減らすことができる。

何だかんだ変な縁から行動を共にすることになった刀真だが、彼は私のことを仲間だと言ってくれた。

しかし、結果的に面倒な状況に巻き込んでしまった以上、刀真に対してもできる限りのことはするべきだろう。

私の気配が変わったことにベラさんは気づくと、笑みを浮かべる。

「いい表情になったじゃないか。そんじゃ早速、仲間として、アンタの実力を見てやろうかね」

「お願いします……！」

私がそう頭を下げると、ベラさんはどこからともなく巨大な斧《おの》を左手に出現させた。

それは【魔装《まそう》】と呼ばれる、戦闘者が目指すべき一つの到達点。

己の魔力を物質化させ、武器とする技術だ。

この技術によって生み出される武器は、各々《おのおの》の性格や魔力の質によって変わり、能力も様々。

……元S級冒険者のベラさんにとって、【魔装】を出現させることは簡単なのだろう。

私がベラさんの武器に目を向けていると、ベラさんはどこか意地の悪い笑みを浮かべる。

「なんだい、まだ戦ってすらいないのに、もうビビってるのかい？」

「っ！　いいえ！」

「ならいいけど……少しは楽しませておくれよ？」

そう口にした瞬間、ベラさんの気配が一変した。

今までの楽し気な様子から打って変わり、まさに獰猛《どうもう》な肉食獣と相対しているような
……そんな威圧感が私を襲った。

あまりの圧力に足が竦《すく》みそうになるが、気合で耐える。

すると、そんな私を見て、ベラさんは微《かす》かに目を見開いた。

「おっと、アタシの威圧に耐えるかい」

「……いきます！」

私はそう宣言すると、その場から走り出す。

それと同時に、早速私は詠唱を始めた。

「雷よ、走れ！　『雷閃《らいせん》』！」

そしてすぐに魔力を練り上げ、魔法を発動すると、ベラさんに向かって一条の雷が走った。

いつもなら、もう少し時間がかかるのだが、修行のおかげか、発動までの時間が短くなっている。

その上、いつもと違い、放った魔法が一瞬だけ金色に輝いたように見えた。

い、今のは一体……。

雷属性魔法は確かに光り輝くが、あそこまで神々《こうごう》しく輝いたことはない。

私の気のせい、だったんだろうか……？

「ふぅん……修行の成果は出てるみたいだねぇ」

しかし、ベラさんは向かってくる魔法を前に、特に避けるようなこともせず、淡々と魔法を見つめた。

そして、魔法がベラさんに当たる直前、ベラさんの右手が一瞬ブレた。

すると、ベラさんに向かっていた魔法が、かき消されたのだ。

「ただ、この程度じゃ武器を使うまでもない」

どうやら右手の一振りだけで、私の魔法を消滅させたらしい。

「っ！　雷よ、収束し、爆《は》ぜろ！　『雷轟槍《らいごうそう》』！」

二節程度の魔法じゃ、ベラさんにはダメージすら与えることができない。

すぐに私は三節の魔法を用意すると、それをベラさんに放つ。

すると再び、魔法が一瞬金色に輝いた。

私の魔法に何が起きているのか、今すぐにでも考察したいが、ひとまずそれは置いておいて、私は『雷轟槍』を発動すると同時に、別の魔法を用意し始める。

「雷よ、縛れ！　『雷縄』！」

「ん？」

私が雷の縄を生み出すと、それは瞬時にベラさんの体に巻き付いた。

二節の魔法とはいえ、普通ならばこの雷魔法を受けただけで体が痺《しび》れたり、そのまま気を失うはずだ。

しかし、ベラさんは特に何かを感じている様子もなく、体に巻き付いた魔法を、ただ力任せに引きちぎった。

「嘘《うそ》でしょ⁉」

「甘いねぇ。この程度の魔法じゃ、アタシは止められないよ――フッ！」

そして、ベラさんに向かっていた雷の槍《やり》も、そのまま素手で摑《つか》み取られたのである。

摑んだ雷轟槍を握り潰すように消滅させると、ベラさんは獰猛な笑みを浮かべた。

「そんじゃあ、次はアタシの番だね――――」

「っ！」

私は、頭で考えるより先に、その場から飛び退いていた。

すると、たった今私が立っていた位置に、ベラさんの斧が降って来たのだ。

「おっと、避けられたか」

私が立っていた床には、信じられないほど深々と、振られた斧がめり込んでいた。しかし――。

「雷よ――――」

「遅いよ」

「ぐっ⁉」

すぐさまベラさんに追撃を放とうとしたが、ベラさんは私が魔法を唱えるより先に動き出し、私に拳を放った。

咄嗟《とっさ》にその場から飛び退いたため、直撃こそしなかったが、ベラさんの放つ拳の圧だけで、私は修練場の隅まで吹き飛ばされる。

何とか起き上がり、もう一度戦おうとするが、思うように体が動かない。

そんな私を見て、ベラさんは矛を収めた。

「反応はいいねぇ。ただ、それを活《い》かせるほど体が追い付いちゃいない……アンタは魔法使いだろうけど、これから強い連中を相手にするためにも、体を鍛えとくんだよ」

痛む体を抱える私に、ベラさんはそう助言する。

確かに……今までは魔法だけで何とかなってきた。

でも、その魔法を封じられた時、頼りになるのは私の体だ。

ただ……。

「ま、仲間ができれば、そこら辺も自然とカバーされるだろうさ。とはいえ、鍛えておいて損はないよ」

「はい……！」

「あと、魔法の発動も多少は速くなってるようだけど、まだ詠唱が遅いねぇ」

「……それは実感しました」

ベラさんのような実力者を相手にする時、まともな詠唱はまずさせてもらえない。

一応、詠唱破棄はできるものの、効果や威力がその分劣ってしまうのだ。

「まあでも、アタシが言った稽古を続けてりゃ、そのうち無詠唱でも魔法が扱えるようになるさ」

「そう、ですか？」

私はいまいち、自分が無詠唱で魔法を唱えられている姿が想像できなかった。

無詠唱とは、その名の通り詠唱をせずとも、魔法を発動させることができる技術だ。

S級冒険者のような実力者は、皆この技術を身に付けてると聞いたが……今の私には、そんな技術が身に付くとはとても思えなかった。

たった今だって、ベラさんを相手に手も足も出なかったのだから。

すると、ベラさんは朗らかに笑う。

「大丈夫だって！　無詠唱が高度な技術なのは間違っちゃいないが、実際は慣れだよ。何度も何度も同じ魔法を唱え続けることで、その魔法を発動させるための魔力の流れを体に染み込ませることで、無詠唱が完成するのさ」

「な、なるほど……」

「ってなわけで、簡単な振り返りはしたけど……どうする？　まだ続けるかい？」

「……はい！　お願いします！」

私は改めて気合を入れなおすと、再びベラさんに特訓に付き合ってもらうのだった。

＊＊＊

俺……刀真は、夕食のために食堂に向かうと、リーズと顔を合わせることになった。

最近はリーズも色々と忙しいようで、食事の時間が合うことも少なかった。

しかし、それでも俺が宿に泊まるための資金は払い続けてくれているのだ。

もう俺も冒険者として依頼を受けて金も稼げるようになったのだが……リーズは俺への恩返しだと言って、聞いてくれなかった。

まあ俺が独立する場合は、今の宿ではなく、もっと質素な場所に移ることになるだろうが、それでも金を払ってもらったままというのは居心地が悪い。

……そのうちきちんと金を貯《た》め、リーズに返済しようと思うことで、ひとまず納得している。

ただ、この間のような襲撃があった際、リーズの近くにいた方が対処できるという意味
では有難《ありがた》かった。

しかし、依頼中も変わらず警戒は続けているが、あの襲撃以降、魔族の動きはない。

まあ昼間は人の目もあるため、動くのであれば夜だろうが……。

それはともかく、久々に顔を合わせた俺たちは、一緒に食事をすることにした。

「そういえば、最近、刀真はどう？」

「まあ知っての通り、薬草採取やら街の清掃など、依頼を受けて過ごしているぞ」

「ふーん……あれ？　でも確か、D級に昇格してたわよね？　魔物の討伐とかはしない
の？」

「そのうちするとは思うが、今は魔物より人の相手だな」

魔族が攻撃を仕掛けてくるのも時間の問題なので、それに備えて対人戦技術を磨いてお
くべきだと考えている。

あのヘドロのような使い魔は人の形ではなかったが、それでも俺に足りないのは対人戦
の経験なので、ここで磨いておくに越したことはない。

とはいえ、そう簡単に人と戦うことなどできないので、そのうち衛兵の方々に手合わせを願えればと思っている。

そんなことを考えていると、リーズが戸惑うように俺を見ていた。

「人の相手って……何の話？　もしかして、盗賊の討伐でもしようって考えてるの？」

「いや、そういうわけではない。今は街でちょっとした見学をな……」

「……この街に何か見学するようなものってあったっけ？」

「衛兵の訓練だ」

「アンタ何してんの？」

心底呆《あき》れた様子でそう言われてしまった。

「いや、せっかく大陸に出てきたのでな。未知の武術に興味があって……」

「……ごめん、私には分からない感覚だわ。でも、そういう変わった武術が知りたいなら、なおさら王都はちょうどいいかもしれないわね」

「そうなのか？」

「ええ。このアールスト王国最大の都市である王都には、色々な人が集まるだけじゃなくて、毎年闘技場では腕に覚えのある連中が集まって、王者を決める闘技大会が行われてるの。それに、王都には色々な道場もあるし、刀真にはピッタリかもね」

なんというか、話を聞いているだけで非常に面白そうな都市だった。

「おお」

「私が図書館で魔族について調べている間、刀真はそういったところを巡ってみたら？」

「それは有難いが、リーズから離れるのは……」

「心配してくれるのは有難いけど、一人でも身を護《まも》れるようになるために、今訓練しているところよ」

「確か、ギルドマスターと修行しているんだったか……」

「ええ。……ギルドマスターには、手も足も出ないんだけどね」

「ふむ……Ａ級冒険者のリーズでも訓練をするのだな……」

感心した様子でそう口にすると、リーズは呆れたように俺を見た。

「それを言えば、アンタもよ。十分強いのに、毎朝訓練してさ……」

「これぱかりは身に染《し》みついた習慣だからな……」

「……それだけ努力できるからこそ、アンタは強いんでしょうね。でも、私も魔族と戦うと決めた以上、強くならなきゃいけないのよ」

どうやらリーズの中でも、強さを求める理由を見つけたようだ。

それがどういう方向に転がるか分からないが、リーズが力を付ければそれだけ彼女の生存率が上がる。

「そういえば、王都にはいつ頃向かうつもりなんだ？」

俺がそう訊《き》くと、リーズは表情を暗くした。

「……まだ、分からないわ」

「ん？」

「……私は今、復讐《ふくしゅう》のため……修行を続けてる。でも、修行をすればするほど、私の無力さが浮き彫りになって……怖くなるの。このまま突き進んでいいのかって……復讐なんて、本当にできるのかって……」

「……」

「……ごめんなさい。刀真は私について来てくれるって言ってるのに、私がこんな弱気で……」

リーズは自分が弱いと言うが、俺はそうは思わなかった。

弱さを認めることは、誰にでもできることじゃない。

そして、リーズはその弱さを抱えながらも、前に進もうと足掻《あが》いているのだ。

……これは、リーズの心の問題だ。

だからこそ、今の俺にできるのは……リーズの心の整理がつくまで、脅威から護り抜くことだろう。

そして、俺がリーズの心の内を聞いた日の夜――ついに魔族が動き出すのだった。

＊＊＊

「クソッ！　潜魔たちもやられただと⁉」

レストラルのとある一室にて、男は焦《あせ》りながら声を荒げた。

「しかも、潜魔に気づかれることなく始末するとは……これでは何の情報も手に入ってこない……」

正確には、潜魔の存在に気づける者がこの街にいるということが分かったくらいで、そのことを考えると、冒険者ギルドを束ねているベラなど今回の潜魔を倒した者は、何人かに絞り込むことができる。

だが、結局そこから先の情報は何も手に入れることができないのだ。

「お、落ち着け……幸い、潜魔の情報が街に流れている様子はない……つまり、相手も意図的に私のことを隠しているということ……腹立たしいが、これには救われている……」

もしベラが潜魔を倒したのであれば、その存在を冒険者ギルド内で報告し、様々な調査を行うはずだ。

そうなると、男にとって非常に困ることになる。

だが、そういった動きが確認されていない以上、潜魔を倒した者が情報を秘匿していることはすぐに分かった。

苛立《いらだ》たし気に部屋の中を行き来する男は、やがて決意した様子で顔を上げる。

「……もはや、形振《なりふ》り構っていられん」

そう口にすると、とある計画を実行すべく、行動を開始するのだった。

第五章

その日の夜は、いつもと違っていた。

「……ん？」

妙な胸騒ぎを感じた俺がすぐに目を覚ますと、俺の部屋に黒い靄《もや》が流れ込んでくるところが目に入った。

「なっ……これは……!?」

その靄からは、まさにヘドロの魔族と相対した時と同じ気配を感じた。

つまり、魔族による攻撃であることに間違いはないだろう。

ただ、この黒い靄そのものに攻撃の意思や敵意が感じられなかったからこそ、気づくのが遅れてしまったのだ。

「くっ！」

俺はすぐに窓を開け、外に飛び出そうとするも、何とこの街全体が黒い靄に覆われてしまっているようで、今外に出たところですぐに靄に飲み込まれてしまうのは目に見えていた。

なら――――。

「フッ！」

俺は体内の魔脈を活性化させ、魔力をいつも以上の速度で循環させる。

その上で、練り上げた闘気で体中を覆った。

次の瞬間、黒い靄は飲み込もうとした俺の体を侵食することはなく、弾《はじ》け飛んだ。

「……どうやらこの対処法で問題なさそうだな」

魔力で体内を強化することにより、免疫力や回復力を高めることができる。

それと同時に、闘気には体の外側を強化する働きがあるため、この二つの力を同時に発動させることで大抵の外的干渉には対処することができるのだ。

「それよりも、リーズは……」

「――――刀真！」

急いでリーズの元に向かおうとすると、その前にリーズの方から俺の部屋にかけこんできた。

「リーズ！」

「リーズ、無事か？」

「ええ。それよりも、刀真は？」

「俺もこの通り、無事だ。だが、君は……」

俺は魔力と闘気で体を強化することで黒い靄から身を護っているが、見たところリーズはどちらの強化も施しているようには思えない。

そして、そのリーズはどこか困惑した様子だった。

「それが、この黒い靄……何故《なぜ》か私を避けるようで……」

「……本当だな」

リーズの言う通り、何故か黒い靄はリーズの体を避けるように周囲を漂っているのだ。

魔族が繰り出したこの黒い靄がリーズを避けるのには何か理由があるのか……？

「リーズ、この靄はやはり……」

「間違いなく魔族の仕業よ。前に魔族に襲われた時と同じ靄に違いないわ。この靄には魔法の発動を阻害したりする働きがあるんだけど……」

「ふむ……どうりで魔力が少し扱いにくいと思ったわけだ……」

しかし、俺は極魔島にいた頃に、似たような能力を持つ妖魔と戦ったことがあるため、魔力の動きを阻害してくるような相手でも特に問題はない。

ただ、面倒であることは確かだ。

「それよりも……街が異様に静かすぎる」

「え？」

夜だから静か、というにはあまりにも異様な雰囲気を感じていた。

俺たちは街の様子を確認すべく、すぐに移動を始めたのだが……。

「なっ⁉　アンナさん、皆《みんな》⁉」

宿屋の女将《おかみ》であるアンナさんや、同じく宿泊客である冒険者たちが、その場に倒れ伏していたのだ。

慌ててアンナさんを抱き上げたリーズは、彼女の状態を確認する。

「眠ってる……？」

そう、この場に倒れている皆は、深い眠りについており、何度声をかけても目覚めることがない。

俺も軽くアンナさんの様子を確認した。

「これは……魔力が吸われている？」

「え？」

「どうやらこの黒い靄には、この場にいる人間たちを眠らせるだけでなく、眠らせた人間たちの魔力を吸収する効果もあるようだ」

「そんな⁉　なら、すぐにこの靄を……」

「気持ちは分かるが、この場に漂う黒い靄を一時的に吹き飛ばせたとしても、街中に黒い靄が広がっている以上、ただの気休めにしかならない。幸い、未《ま》だ命に影響を及ぼすほど魔力が吸収されているわけではないが……このまま放置すれば、魔力を吸い尽くされたこの街のすべての人間が死に至るだろう」

するとリーズは顔を青くし、震え始める。

「ど、どうしよう……私のせいで……私がこの街にいるから、皆が……」

「リーズ！」

俺はリーズの肩を摑《つか》むと、無理やりこちらを向かせた。

「震えるのはあとだ。まずはこの状況をどうにかしよう」

「ど、どうにかって……どうすればいいのよ……」

「この黒い靄が魔族の仕業なのは間違いない。だからこそ、その魔族を探すんだ。この状況を引き起こした魔族なら、この靄をどうにかできるだろう」

「で、でも、もうこの街にいなかったら？」

「いや、それはないはずだ」

まずこんな大規模な攻撃を、遠く離れた場所から仕掛けられるとは思えない。

それに、魔族の狙いはリーズなのだ。ならば、リーズを殺すためにこの状況を作り出したと考えてもいい。

となると、この靄だけでリーズが殺せない以上、確実に魔族は俺たちの元にやって来るはず……。

何より、一度殺したと思った相手が生きて帰って来たのだ。次こそは相手も必ずリーズが死んだことを確認するだろう。

「だからこそ、俺たちは冷静に魔族との戦いに向き合わねばならない。分かるな？」

「……そう、よね」

リーズはだんだん落ち着いてきたようで、力強く頷《うなず》いた。

「ごめんなさい。もう大丈夫よ。この時のために、私は修行を続けてきたんだもの……必ず魔族を倒して、皆を救ってみせる……！」

「ああ」

俺たちはアンナさんたちをひとまず一箇所にまとめて寝かせると、急いで街へと飛び出した。

するとやはり、道行く人々が倒れ伏し、眠っている。

「こんなことをするなんて……」

「それだけ相手も本気というわけだな」

魔族を探しながら街中を移動していると、不意に何かが出現する気配に気づく。

「止まれ」

「え？」

俺がリーズを制すると、俺たちの目の前に以前倒したヘドロの魔族が出現した。

「こ、これって……」

「コイツが何なのかは分からないが、敵であることに間違いない」

「なら、放っておくわけにはいかないわね……！」

リーズはそう言うと、右手を掲げる。

「雷よ、轟《とどろ》き、走れ！　『雷轟閃《らいごうせん》』！」

その瞬間、黄金の雷が、ヘドロの魔族目掛けて放たれた。

それはまさに電光石火の勢いで黒い靄を突き抜けてヘドロへと迫り、一瞬にしてそれを塵《ちり》へと変える。

「う、撃てた……撃てたわ！　ベラさんとの修行が活《い》きてる……！」

以前、リーズはこの黒い靄によって魔法を封じられたそうだが、どうやらそれを克服できたようだ。

それよりも、今リーズの放った魔法だが……あんな黄金に輝く雷魔法は初めて見た。

俺と同じことをリーズも感じていたようで、どこか動揺した様子を見せる。

「で、でも……どうして急に……それに、さっきの色、ベラさんとの修行の時にも……」

いきなりいつもと違う力が発動したとなれば、戸惑うのも無理はない。

ただ……。

「考えるのは、あとの方がよさそうだ」

「え？」

「どうやら相手に気づかれたみたいだな」

そう、実はヘドロが俺たちの前に出現した時点で、俺たちを取り囲むように次々と気配が現れていたのだ。

恐らく、このヘドロの主《あるじ》には、俺たちの存在が気づかれているだろう。

本当ならば先に主犯の魔族を見つけ、直接叩《たた》きたかったが、その前に露払いをする必要がありそうだ。

「消耗戦に持ち込まれると面倒だ。コイツらの主を探しながら戦うぞ！」

「ええ！」

俺たちは同時に駆け出すと、それを待っていたかのように次々とヘドロたちが襲い掛かって来た。

「雷よ、集い、打ち払え！『雷轟剣《らいごうけん》』！」

リーズは三節の魔法を唱えると、その右手に雷でできた剣を出現させる。

そして、その剣をヘドロ目掛けて振るうと、相手は触れた途端に次々と塵へと化していった。

「な、何ていうか、手ごたえが感じられないわね……」

「……」

リーズが不思議そうに首を傾《かし》げる中、俺は一つの確信を抱いた。

というのも、俺は先ほどからヘドロたちを殴り倒してはいるが、リーズのようにこいつらが一瞬で塵になるようなことはない。

明らかにリーズの攻撃を受けた際には、一瞬で消滅しているのだ。

俺も不慣れな魔法で攻撃してみたが、やはりリーズのようにはいかなかった。

つまり、リーズの魔法のみが魔族に絶対的な効果を発揮しているのだ。

……このことが理由で、魔族はリーズを殺そうとしているのかもしれない。

リーズも俺との違いを目にし、徐々に同じような考えを抱き始めたみたいだ。

「……もしかして、これが原因なのかしら……？」

「その可能性は高そうだな」

「どうして私の魔力が……」

「その考察は落ち着いてからするとしよう」

「……ええ、そうね」

そんなやり取りをしながら戦っていたわけだが、いかんせん魔族の数が凄《すさ》まじく、リーズに疲労の色が見えてきた。

「くっ！　どんだけ湧いてくるのよ……！」

このままでは、リーズの魔力が底をつく。

俺は目の前のヘドロたちを倒しながら、周囲を注意深く探知していた。

……これだけヘドロを倒したら、街のどこかにいるであろう主の魔族が態勢を立て直すべく、この街から逃げ出すかもしれない。

もちろん、相手がこの場から去れば、街の者たちから魔力を奪うこの黒い靄《もや》も晴れていくだろう。

しかし、ここで奴《やつ》を見逃すことで、態勢を立て直し、より凶悪な策を強行してくるような状況は避けたい。

やはり急いで見つけ出し、叩かねば……。

ヘドロの襲撃に対処しつつ、街を駆け抜けていると――――。

「――――見つけた！」

「え⁉」

「リーズ、跳ぶぞ」

「と、跳ぶって――――えぇぇぇぇぇ〜⁉」

俺はリーズを抱きかかえると、その場から跳躍した。

その瞬間、ヘドロたちは一箇所に集まり、まるで一本の間欠泉のように黒い波となって押し寄せてきた。

「ちょ、ちょっと！　アイツら、まだ追って――――」

「――――『破空脚』！」

だが俺は、その集合したヘドロたちを足場にするように、勢いよく踏み付ける。

その瞬間、俺は魔力を一気にヘドロに向けて放出させた。

すると、ヘドロの魔族たちは一瞬で破裂し、俺たちはその勢いを利用することでさらに加速していく。

「きゃあああああああ！」

そのまま空中を飛翔《ひしょう》していると、俺たちに気づいたヘドロたちの主である魔族の男が、街から逃げ出そうとするところが目に入った。

「逃がさん！」

さらに空中で『破空脚』を連発することで、もう一段階加速した俺は、男の退路を塞ぐように降り立った。

何とか追いつくことはできたが、男はすでに街の門から外に出ており、危うく逃げられるところだった。

「はぁ……はぁ……し、死ぬかと思ったわ……」

「む、すまない。急いでいたからな……」

リーズをその場に下ろすと、彼女は顔を青くしながら息を整えた。ただ、文句を言ってこないということは、状況を理解してくれていたのだろう。

そしてリーズは、魔族の男に鋭い視線を向けた。

「また会ったわね」

「何なのだ、お前は……何故《なぜ》生きている……！」

「生憎《あいにく》、私はしぶといのよ。アンタたちに復讐《ふくしゅう》するまで、死ぬわけにはいかないわ」

毅然《きぜん》とした態度のリーズに対し、男は一瞬気圧《けお》されたようだったが、すぐに笑みを浮かべる。

「ふ、ふふふ……何と言おうが、貴様にそれを実行できるだけの力が果たしてあるのか⁉」

その瞬間、男は体から黒い靄を噴出させると、再びヘドロの魔族たちが俺たちを取り囲むように出現した。

「なっ……まだこんなに……⁉」

「くはははは！　馬鹿め！　貴様を殺すことなど容易《たやす》いのだ！　愚かにも私の前に再び姿を見せるとは……ふふふ。貴様が殺される様をしっかりと見届けてやろう！　さあ、死ねぇ！」

男がそう指示を出した瞬間、ヘドロたちは一斉にこちらに飛びかかって来る。

だが、リーズはそんなヘドロたちを前に、冷静だった。

「私だって、あの時のままじゃない！　雷よ、轟き、唸《うな》り、降り注げ！『雷轟雨《らいごうう》』！」

リーズがすぐさま四節の魔法を唱えると、瞬時に俺たちの頭上に暗雲が立ち込める。

そして次の瞬間、激しい雷が次々と降り注ぎ、ヘドロの魔族を消滅させていった。

「ば、馬鹿な⁉　確実に私の力は効いているはず！　それなのに、四節以上の魔法を発動しただと⁉」

「言ったでしょ、あの時のままじゃないって！」

リーズの言葉に気圧される男だったが、すぐに冷静になり、笑みを浮かべた。

「……だが、その魔力、いつまでもつかな？　いでよ！」

「！」

男が手を掲げると、倒したはずのヘドロが、再び無数に湧き出てきたのだ。

「そんな……どこにそんな力が……⁉」

「ははははは！　この潜魔は、街の人間どもの魔力を元に生み出している！　しかもコイツらは、先ほどまでの潜魔とはわけが違う……人間どもから吸収する魔力の量を増加させたことで、圧倒的に力が増しているのだ！」

「何ですって……!?」

このヘドロたちは、どうも街の皆の魔力から生み出されているようだ。

ゆえに、魔族の男がこのヘドロを出現させればさせるほど、街の人への負担がかかることになる……。

その上、目の前のヘドロは、これまでの奴らよりも遥《はる》かに強化されている。

ますます時間をかけられんな……。

すると、リーズは静かに闘気を漲《みなぎ》らせ、前に出た。

「許さないわ」

「許さない？　だったらどうすると言うのだ？」

「アンタをここで、倒してみせる……！」

リーズは雷の剣を手に、魔族の男に向かって走り出す。

だが、それと同時にヘドロたちがリーズの行く手を阻《はば》むように立ちふさがった。

「無駄だ！　貴様程度では、この私にたどり着くことすらできん！」

「くっ……！」

「――ならば、俺が道を切り開こう」

「なっ!?」

俺はリーズの前に躍り出ると、目の前に迫るヘドロ目掛けて、拳を放った。

「『覇天拳』！」

その瞬間、ヘドロたちの体は一気に吹き飛び、男までの一本道ができ上がる。

「な、何だ貴様は!?」

俺の技に驚く男を無視し、リーズに呼び掛ける。

「走れ！　俺が露払いをする！」

「ありがとう……！」

「っ！　させるかああああああ！」

リーズに押し寄せるヘドロの波。

だが、俺はその波を冷静に見つめ、すぐにその終点を見つけ出した。

そして――――。

「『破軍』！」

両拳に魔力と闘気を纏《まと》わせると、怒涛《どとう》の連撃を放つ。

それらすべてが的確に終点を打ち抜き、押し寄せるヘドロの波は一瞬にして吹き飛んだ。

「ば……馬鹿な⁉　はっ！　その姿、やはり……貴様が噂《うわさ》の陽ノ国人か⁉　今まで私の計画をすべて邪魔したのも――――」

「――よそ見してんじゃないわよッ！」

「なっ⁉　ぎゃあああああああ！」

男の元にたどり着いたリーズが、手にした雷の剣を一閃《いっせん》すると、男の体が斬り裂かれた。

ただ、咄嗟《とっさ》に男が身を引いたことで、致命傷とはならなかったようだ。それでも傷は深く、斬られた箇所からは煙が噴き出ている。

「き、貴様ぁぁああ！　忌々《いまいま》しきエレメンティアの末裔《まつえい》めぇぇぇえ！」

すると、魔族の男は右手をかざし、リーズ目掛けて黒色の閃光を放った。

だが……。

「街の人を狙ったこと……後悔しなさい！」

なんと、リーズの体から金色の魔力が迸《ほとばし》った瞬間、『雷轟槍《らいごうそう》』が無詠唱で放たれたのだ！

黄金の雷槍は黒閃と衝突すると、一瞬にして黒閃を消し飛ばし、男の体を貫いた。

「があああああああああああああ⁉」

そして、周囲に集っていたヘドロたちすらも巻き込み、リーズの魔法は消滅した。

魔族の男は胸に大きな穴をあけ、その場に倒れ伏す。

「や……やったの……？」

確実に男の急所を穿《うが》った一撃。

普通であれば、男は死んでいるだろう。

だが……。


「いや、まだだ」


「え？」

「黒い靄《もや》が晴れていない」

「あ……！」

そう、男を倒したはずなのに、黒い靄に変化はなく、ヘドロもまだ湧き続けているのだ。

大規模な魔法陣などを展開していたのなら、魔族の男を倒したとしても黒い靄は晴れないだろう。

しかし、街を移動していた際、怪しげなものは何も見かけていない。とすれば、この黒い靄は魔族の男を倒すことで晴れるはずだった。

するると、倒したはずの男が、フラフラとした足取りで起き上がった。

「な……あの傷で動けるの……!?」

……あり得ない。あの傷は、どう考えても致命傷だ。

それなのに、このように立ち上がるとは……人型の魔族は、俺たちとは体の作りが違うのか……?

とはいえ、黙って男が立ち上がるのを見届けるつもりはない。

俺はすぐに男にとどめを刺すべく、動き出すが……。

「ぐ……貴様らは……ここ、で……殺す……」

男がそう口にした瞬間だった。

突如、周囲に蠢《うごめ》いていたヘドロたちが、一斉に魔族の男の方へ飛んでいったのだ。

そしてそのヘドロは、男の体に付着すると、そのまま男を飲み込んでしまう。

「な、何が起きてるのよ!?」

突然の事態に驚く中、男の異変はまだ続いた。

なんと、街中に充満していた黒い靄までもが、男目掛けて雪崩のように降り注いできたのだ。

「きゃっ！」

「くっ！」

男に降り注ぐ黒い靄の勢いは凄《すさ》まじく、とどめを刺すべく動いていた俺も吹き飛ばされる。

やがて黒い靄は完全に黒い塊と化した魔族の男に吸収された。

すべての黒い靄が消失した瞬間、ヘドロが溶けるように男の体に溶け込んでいき――――。

「――――貴様ラハ、ココデ殺ス」

そこには、人型の怪物が存在していた。

黒く染まった肌、金色に輝く瞳。

その肌には、赤く妖しい光線が走り、脈打っている。

背中には黒い靄が結晶化したような翼が、そして、額には二本の鋭い角が。

まさに『魔』を体現するかのような姿に、俺たちは言葉を失った。

そして――――。

「――――死ネ」

「！　『流天』　！」

「刀真⁉」

「ぐっ……はあああああっ！」

俺はとっさにリーズの前に立つと、黒い閃光を素手で受け止め、上空に弾いた。

弾いた閃光はそのまま雲を突き抜け、空で爆《は》ぜる。

「う、嘘《うそ》……何よ、あの威力……」

たった今男が放った黒閃は、先ほどリーズに放ったものとは比べ物にならない。

今の攻撃が街に放たれていたら、一瞬で街どころか、この地方一帯が消し飛んでいただろう。

俺も咄嗟のところで攻撃の力と方向を見極め、上空に受け流せたものの、あのまま受け止めていたら無事じゃすまなかったはずだ。

「クク……アア、心地イイナァ……」

男は恍惚《こうこつ》とした表情を浮かべると、そのまま無造作に腕を振るった。

ただそれだけで黒い暴風が吹き荒れ、俺たちに襲い掛かる！

「『覇天掌』！」

避けられないと判断した俺は、すぐさま技を繰り出すも、それが暴風の終点を打ち抜くより、相手の暴風が俺たちを飲み込む方が早かった。

「ぐっ！」

「きゃあっ！」

「クハハハハ！　最初カラ、コウスレバヨカッタノダ！　今ノ私ハ、無敵ダァ！」

自身の力に酔いしれる男。

……確かに、男は尋常でないほど、強くなった。

しかし、俺の目は、男の体内で渦巻く魔力が、今にも暴走寸前であることを見抜いていた。

確かに魔族の男は強大な力を手に入れたようだが、見たところ理性も徐々に失いつつあり、最終的には己の魔力に飲み込まれて死ぬだろう。

とはいえ、それを悠長に待ってる暇はない。

相手は俺たちを確実に殺そうとしている上に、もしこの場でヤツの魔力が暴走すれば、その影響はこの国にとっても甚大《じんだい》なものになるはずだ。

まず俺はリーズを抱えると、暴風を無理やり突破する。

ただ、強力な黒い暴風を真正面から脱出したため、黒い靄は闘気で強化した俺の体を貫き、そのまま黒い靄が体を侵食して、膚《はだ》の一部が朽ちてしまった。

「刀真！」

「大丈夫だ」

この程度の傷であれば、極魔島では日常茶飯事だった。

俺は治癒術に関しては師匠から徹底的に叩《たた》き込まれており、この傷どころか手足が無くなっても生やすことができる。

リーズをその場に下ろすと、男は不愉快そうな表情を浮かべた。

「何ダァ？　コノ私ノ攻撃カラ抜ケ出シタダト？」

しかし、次の瞬間には再度笑みを浮かべ、こちらに腕を突き出してきた。

「マアイイ。今殺セバ、何モ変ワラナイナ」

そして、魔族の男の掌《てのひら》に濃密な黒い靄と魔力が集中すると、一気にこちらに向かって解き放たれる。

その攻撃には、いとも簡単に街一つを吹き飛ばすだけの威力が込められていた。

そして、この攻撃の射線上にはレストラルの街がある。

避けることはできない。

ならば――――。

「『覇天拳』ッ！」

俺は真正面から黒閃を打ち抜くように、拳を放った。

俺の拳と黒閃が激突すると、俺の拳圧によって、黒閃の終点が突かれ、黒閃は霧散する。

先ほどは強力になった黒閃の終点を瞬時に見抜くことができなかったが、一度攻撃を受けたこともあり、今は完璧に終点が見えている。

「ナ、何ィイ!?　貴様ハ一体……！」

男は、まさか攻撃を真正面から突破されるとは思っていなかったようで、目を見開いた。

「許セン……許センゾオオオオオ！」

男は感情に任せ、背中の黒い翼を闇雲に振り回した。

すると、それだけで凄まじい暴風が次々と巻き起こされ、俺たちに襲い掛かる。

その上、先ほどとは違い、黒い杭《くい》……邪悪な魔力の塊のようなものが暴風に紛れており、俺たちの体を斬り裂くように飛んできた。

恐らく、この杭は男の羽だったものだろう。

「ズタズタニ斬リ裂イテヤル！」

確かに、先ほどの暴風は打ち消せなかった。

——だが、二度目は効かん。

俺はすでに暴風の中に点在する終点をすべて見抜いていた。

そして、その終点と、飛来する大量の杭を目掛けて、掌底を放つ。

「『千手掌《せんじゅしょう》』！」

初代皇帝陛下から受け継いだ歩法にも使われている、独特の魔力と闘気の運用法を応用し、新たに編み出した俺の技。

初代皇帝陛下の歩法はあくまで実体のない分身を生み出す技だったが、俺はそれに『破軍』の魔力運用法を混ぜ合わせることで、タダの分身ではなく、魔力と闘気による実体化を成功させた。

『破軍』が連打する技なのに対して、この『千手掌』は、無数の掌底を同時に放つ技だ。

こうして魔力と闘気で掌底を形作ると、俺は襲い来る攻撃のすべての終点を打ち抜くことに成功した。

「ナ、ナンナンダ……ナンナンダ、貴様ハアアアアアア！」

「ハアッ！」

「グエエエエエエエエエエエ!?」

動揺を隠せない魔族の男の懐《ふところ》に潜り込んだ俺は、そのまま拳を放つ。

しかし、肉体も強化されているのか、この一撃では魔族の男を倒しきることができなかった。

……終点を狙って打ち抜いたのだが、拳が男の体に触れる瞬間に終点が移動したようだ。しかも、拳の衝撃がある程度逃がされたことも、手の感触から伝わっている。

何にせよ、もう一度打ち抜けばいい……！

今度は移動し続ける終点に対応すべく、俺は拳と掌底を使って技を放とうと構えるが、魔族の男はそんな俺の様子を見て、突然体を丸めた。

「コ、コノママ終ワルト思ウナアアアアア！」

「む！」

次の瞬間、丸まった男の体を、黒い靄が包み込み、完全な黒い球体へと変貌したのだ。

「何よ、コレ……！」

「……」

俺はその球体を観察して驚いた。

――終点がない、だと？

今までにない状況に俺が戸惑う中、リーズが魔法を放つ。

「雷よ、走れ！『雷閃』！」

魔族に絶大な効果を発揮するリーズの魔法が放たれる。

しかし、黒い球体に触れた瞬間、彼女の魔法は打ち消されてしまった。

「そんな⁉」

「────クハハハハ！　無駄ダ！　膨大ナ魔力ニヨッテ実現サレタ、コノ完全防御形態ヲ傷ツケルコトナド不可能！　コノママ私ノ体ガ破裂スルマデ、恐怖ニ震エルガイイ！」

どうやら男は、このまま俺たちを倒しきれないと判断したらしい。

その結果、自分自身の状態も把握した上で、このまま魔力を暴走させる道を選んだようだった。

……まだそこまで理性が残っていたとは。何としてでもリーズを仕留めるという執念がそこまでさせているのか……？

今、男の魔力は、吸収した街の人々の魔力も合わさり、とんでもないことになっている。

ここまで莫大《ばくだい》な魔力を有した生命体は、極魔島ですら見たことがない。

そしてこの魔力が暴走し、男の体が弾《はじ》けてしまえば、この都市は跡形もなく消し飛ぶだろう。

ヤツの魔力暴走を阻止するためには、ヤツの魔力の終点を見つけ出し、そこを突く必要がある。

そうすれば、魔力は暴走することなく崩壊を始め、自然と消えるはずだ。

「サア、私ノ攻撃ハ終ワリデハナイゾ！」

「嘘でしょ⁉」

俺たちが急いで相手の暴走を止めようと動くも、相手は防御形態でありながら、こちらに攻撃を仕掛けてきた。

襲い掛かる黒い閃光《せんこう》や暴風に対処しつつ、俺たちは距離を取る。

「こっちの攻撃は無効化されるのに、相手は攻撃できるなんて……どうすれば……」

もはや絶望的ともいえる状況に、顔を青くするリーズ。

……悔しいが、今の俺の拳では、あの防御を打ち破ることはできないだろう。

それならば……！

俺は精神を集中させると、口を開く。

「君臨せよ――皇刀！」

俺の命言に応え、心臓部分から一本の刀が出現する。

その刀は蒼白《そうはく》に輝き、月明かりを反射して蒼《あお》く煌《きら》めいた。

「そ、その武器って……」

皇刀を前に、茫然《ぼうぜん》とするリーズ。

「——リーズ。俺がアイツを斬り伏せる。だから、そこまでの道のりを頼んでもいいか？」

……俺がリーズの道を切り開くと言っておきながら、こんなことを口にするのは情けない。

しかし、あの技であれば……。

すると一瞬だけ驚いたリーズは、すぐに笑みを浮かべる。

「……任せなさい。私たちは——仲間なんだから」

「！」

そうだ……俺は今までリーズを護《まも》ることだけを考えていたが、そうじゃない。

どちらか一人が支えるのではなく、お互いに支え合うから仲間なのだ。

リーズの言葉に応えるように、俺も笑みを浮かべた。

「頼むぞ、リーズ……！」

「ええ！」

俺が一気に駆け出すと、そんな俺目掛けて暴風が襲い来る。

「馬鹿メ！　ドレダケ足掻《あが》コウガ、結末ハ同ジダ！」

「フッ！」

襲い来る暴風を斬り伏せる俺だったが、そんな隙を突くように黒い閃光が降り注いだ。

だが――――。

「ハアッ！」

黄金に輝く『雷轟槍』が、俺に向かってきた攻撃をすべて撃ち弾いた。

リーズによって道が開け、そこを突き進む俺は、ついに魔族の男の元に到達すると、そのまま跳び上がる。

そして、俺は皇刀を上段に構えた。

――集中しろ。

ここは戦場。修行のように、時間はかけられない。

「隙ダラケダゾ！」

しかし、いまだに降神一刀流を身に付けきれていない俺は、すぐに技を発動させることができなかった。

その隙を突き、魔族の男はすべての技を俺にぶつけてくる。

「コノママ落チルガイイ！」

「刀真の邪魔は、させないわッ！」

しかし、リーズが両腕をかざすと、そこから黄金の雷が迸《ほとばし》り、男の攻撃すべてを吹き飛ばしてくれた。

「グゥウウウ！　エレメンティアノ小娘ガアアアアア！」

「――――刀真ッ！」

「任せろ――――」

リーズの声に、俺は答える。

極限の集中状態に達した俺は、周囲の音を置き去りにした。

そして――――。

「無駄ダ！　コノ完全防御ハ――――」

「――『降神一刀』」

膨大な魔力の塊と化した魔族の男を、一直線に斬り裂く一撃。

この技は【降神一刀流】の最終奥義《おうぎ》であり、まさに神をも降《くだ》す一太刀だ。

……残念ながら、今の俺では本当の威力の百分の一も引き出せていないだろう。

それでも――この男を倒すのには十分だ。

「ア、アリ得ヌ……コンナ、コトガ……」

一瞬の静寂が場を支配すると、球体となった男の体が静かにズレ落ちる。

そして、魔族の男は呆然《ぼうぜん》としたまま、塵《ちり》となって風に乗り、消えていくのだった。

＊＊＊

魔族との戦いから数日後。

魔族の男を倒したあと、街の人々は無事に目を覚ました。

ただ、突如として多くの人々が意識を失ったということで、すぐさま街の有力者によって調査が行われることに。

その中でも俺とリーズが事件の当事者として名乗り出たことで、俺たち二人も調査を受けることになった。

そこでリーズは、冒険者ギルドのマスターを通じて、魔族の存在を伝えることにしたのだった。


「うーむ……魔族、か……」


たった今、魔族の存在を聞かされた目の前の初老の男性は、このレストラルを治める貴族のリーデンス・グランハルト様だ。

リーデンス様は、リーズの語る魔族の存在に、非常に困惑したようだったが、それをギルドマスターのベラさんが補足する。

「この子の言うことは本当だと思うよ。それとも、リーズが嘘《うそ》を吐《つ》いてるって思うのかい?」

「いや、私もリーズさんが嘘を吐いているとは思わんが……なんせ魔族など、おとぎ話の中の存在だからな……」

リーデンス様の言う通り、この国での魔族に対する認識は『おとぎ話に出てくる悪い存在』くらいのものであり、それが実在したと言われても、中々信じることができなかった。

それだけ魔族の存在が今まで確認されていなかったということだ。

「そうですよね……」

「あ、いや、すまない。君を疑っているわけではないが、信じられないという気持ちも理解してほしい」

「まあそうだろうねぇ。でも、痕跡は残ってただろう？」

「……そうだな」

ベラさんの言う通り、俺たちが戦った場所には、朽ち果てた窪地《くぼち》がいくつもでき上がり、その痕跡こそが、まさに魔族の存在を証明するものだった。

魔族の力は闇属性魔法に似てはいるが、生命を朽ちさせる力は、闇属性魔法には存在しない。

ゆえに、俺たちの戦闘痕に残った魔力の残滓《ざんし》と、状況から見て、魔族の犯行だという結論が導き出されていたのだ。

すると、ベラさんは悔しそうな表情を浮かべる。

「それにしても……不甲斐《ふがい》ないねぇ……アンタがそんなことになってたってのに、アタシは気づきもしなかったなんて……」

「し、仕方ないですよ。なんせ、魔族の力で街中の人間が眠らされてたんですから……」

「でも、リーズと……アンタには効かなかったんだろう？」

ベラさんは俺に探るような視線を向けてきたが、俺としては何もおかしなことはしていないので、普通に答えた。

「ええ。異変を感じ、すぐに魔力と闘気で防ぎました」

「……このアタシですら感じ取れなかった異変に気づくって、アンタ、何者なんだい？」

「ただの修行者ですよ」

そう答えるしかない。護堂家の出であることは伝えるわけにもいかないしな。

「……とりあえず、話は分かった。まだ詳しい調査はこれからしていくことになると思うが、魔族の出現は事実だと思っていいだろう。はぁ……これを陛下にどう説明すべきか……」

リーデンス様はこれからのことを考え、頭を抱えると、そのまま立ち去っていった。

そんな彼を見送ると、ベラさんはリーズに問いかける。

「それで、これからどうするつもりだい？」

「……王都に向かおうと思います」

「リーズ……」

前までは、この街から出ることに躊躇《ちゅうちょ》していたリーズが、決意のこもった視線でそう口にした。

そのことに驚いていると、リーズは俺を見て、苦笑いを浮かべた。

「……私は、少し前まで怖がってた。このまま突き進んでも、私の目的は達成できるのかって……でも、刀真がいてくれたおかげで、自信を持つことができたの。それに、このままここにいても、また皆《みんな》に迷惑をかけるかもしれない。だから、旅立つことにするわ」

「……そうかい。そりゃあ寂しくなるねぇ」

ベラさんは寂し気にそう呟《つぶや》くと、小さく笑った。

「でも、アンタはもう大丈夫だよ。何てったって、そこの……刀真ってのがついて行くんだろう？」

「はい」

「なら大丈夫だ！　アンタはもう、一人じゃない。これから先、何があっても大丈夫だよ」

「ベラさん……」

リーズはベラさんの言葉を受け、目に涙を浮かべた。

すると、ベラさんは俺に真剣な視線を向ける。

「この子のこと、頼むよ」

「――――承知した」

俺は力強く頷《うなず》いた。

最後にリーズはベラさんと抱き合うと、俺たちは冒険者ギルドを後にした。

「このまま王都に向かうんだな？」

「ええ。そこで魔族について調べたり、ダンジョンで戦力を整えるわよ。そして……必ず、私の国を取り戻してみせる」

強い意志を漲《みなぎ》らせ、前を向くリーズ。

そして、どこか恥ずかしそうにこちらに視線を向けた。

「だから、その……これからも、よろしくね？」

「フッ……こちらこそ」

先ほどの気丈な態度からの落差に思わず笑みを浮かべつつ、俺は頷く。

これからどうなるのか分からないが、彼女を支えられるよう……強くならねばな。

そんな決意を胸に、俺たちは王都に向かうのだった。

あとがき

こちらの作品をお手に取っていただき、ありがとうございます。

作者の美紅《みく》です。

同じくファンタジア文庫にて『異世界《いせかい》でチート能力《スキル》を手《て》にした俺《おれ》は、現実世界《げんじつせかい》をも無双《むそう》する～レベルアップは人生《じんせい》を変《か》えた～』という作品も書かせていただいております。

そんな私が、こうして新シリーズを刊行していただけることになりました。

こちらの作品もまた、主人公による無双感を楽しんでいただける作品になったのかなと思っています。

それと同時に、私の作品にありがちと言いますか、やはり主人公はどん底からのスタートでした。

とはいえ、異世界に転移したり、転生することなく、元からその世界に住んでいるキャラクターを主人公にしたシリーズを書くのは初めてなので、ここからどうなっていくのか、私自身も分かりません。

また、この作品は元々Ｗｅｂで連載していたのですが、書籍化にあたり、大幅な加筆修正を行っており、ストーリーなども大きく変化しています。

なので、Ｗｅｂで読んでいただいていた方も、改めて楽しんでいただける内容になっているかと思います。

そして新シリーズを始めるのはとても久しぶりなこともあり、刊行が近づくにつれて、非常にワクワクしておりました。

今作のイラストを担当してくださるかかげ様のイラストが届くたびに、こんな容姿のキャラクターなのかと感動しております。

また、こうして新シリーズが刊行されることを、私だけでなく、両親も楽しみにしてくれているため、頑張ろうと思っています。

ただ、いつものごとく、Ｗｅｂでの連載が止まってしまっているため、こちらも書き進めなければなと……。

非常にゆっくりとしたペースになってしまうとは思いますが、Ｗｅｂ版も楽しみにしていただけると幸いです。

さて、こうして新シリーズを書き始めることになったわけですが、私自身の生活などは特に変わっていません。

相変わらず、書き進め、読み返すたびに、どうしてこうなったのだろうと思うことが多いです。

その分、私も新鮮な気持ちで楽しんでいます。

何より、私が今まで書いてきたシリーズとは違い、武術や技、魔法、といったものも少し詳しく描写しているので、今まで私の作品を読んでくださっている読者の皆様にも、どこか新鮮な気持ちで味わっていただけるのではないかと思います。

担当編集者様。『いせれべ』に引き続き、今回も大変お世話になりました。

かかげ様。綺麗《きれい》でカッコいいイラストを描いてくださり、ありがとうございます。和風の主人公をうまく世界観に落とし込んでくださり、いただいたイラストを拝見した時は感動しました。これからもよろしくお願いいたします。

そして、この作品を読んでくださった読者の皆様。私の作品を追いかけてくださっている方も、この作品で私のことを知ってくださった方も、本当にありがとうございます。
これからもこの作品にお付き合いいただけますと幸いです。
それでは、また。

美紅

富士見ファンタジア文庫

武神伝《ぶしんでん》
生贄《いけにえ》に捧《ささ》げられた俺《おれ》は、
神《かみ》に拾《ひろ》われ武《ぶ》を極《きわ》める

令和5年9月20日　初版発行

著者——美紅《みく》

発行者——山下直久
発　行——株式会社KADOKAWA
〒102-8177
東京都千代田区富士見2-13-3
0570-002-301（ナビダイヤル）
印刷所——株式会社暁印刷
製本所——本間製本株式会社

ISBN978-4-04-075101-6 C0193　◇◇◇

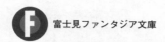

天上優夜《てんじょうゆうや》
異世界で
レベルアップした結果、
最強の身体能力を
手に入れた少年
その少年すべてが
シリーズ好評発売中！

チートすぎる

異世界でチート能力《スキル》を手にした俺は、現実世界をも無双する

～レベルアップは人生を変えた～

I got a cheat ability in a different world, and became extraordinary even in the real world.

著：美紅
イラスト：桑島黎音

幼い頃から酷い虐めを受けてきた少年が開いたのは『異世界への扉』だった！ 初めて異世界を訪れた者として、チート級の能力を手にした彼は、レベルアップを重ね……最強の身体能力を持った完全無欠な少年へと生まれ変わった！ 彼は、2つの世界を行き来できる扉を通して、現実世界にも旋風を巻き起こし――!? 異世界×現実世界。レベルアップした少年は2つの世界を無双する！

ファンタジア文庫

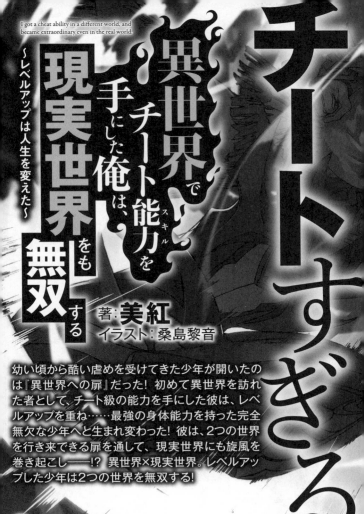

ティナ
四大公爵家のひとつ、ハワード家に生まれた公女殿下。なぜか誰でも扱える程度の魔法すら使うことができない。
変えるはじめましょう
アレン
公爵令嬢ティナの家庭教師を務めることになった青年。魔法の知識・制御にかけては他の追随を許さない圧倒的な実力の持ち主。
発売中!

公女殿下の
Tutor of the His Imperial Highness princess
家庭教師

あなたの世界を
魔法の授業を

STORY 「浮遊魔法をあんな簡単に使う人を初めて見ました」「簡単ですから。みんなやろうとしないだけです」 社会の基準では測れない規格外の魔法技術を持ちながらも謙虚に生きる青年アレンが、恩師の頼みで家庭教師として指導することになったのは『魔法が使えない』公女殿下ティナ。誰もが諦めた少女の可能性を見捨てないアレンが教えるのは——「僕はこう考えます。魔法は人が魔力を操っているのではなく、精霊が力を貸してくれているだけのものだと」常識を破壊する魔法授業。導きの果て、ティナに封じられた謎をアレンが解き明かすとき、世界を革命し得る教師と生徒の伝説が始まる!

シリーズ好評

無自覚最強ハーレム！
シリーズ
好評発売中！
妹が女騎士学園に入学したらなぜか救国の英雄になりました。ぼくが。
After my sister enrolling in Girl Knights'School, I become a HERO.
author. ラマンおいどん
ill. なたーしゃ
ファンタジア文庫

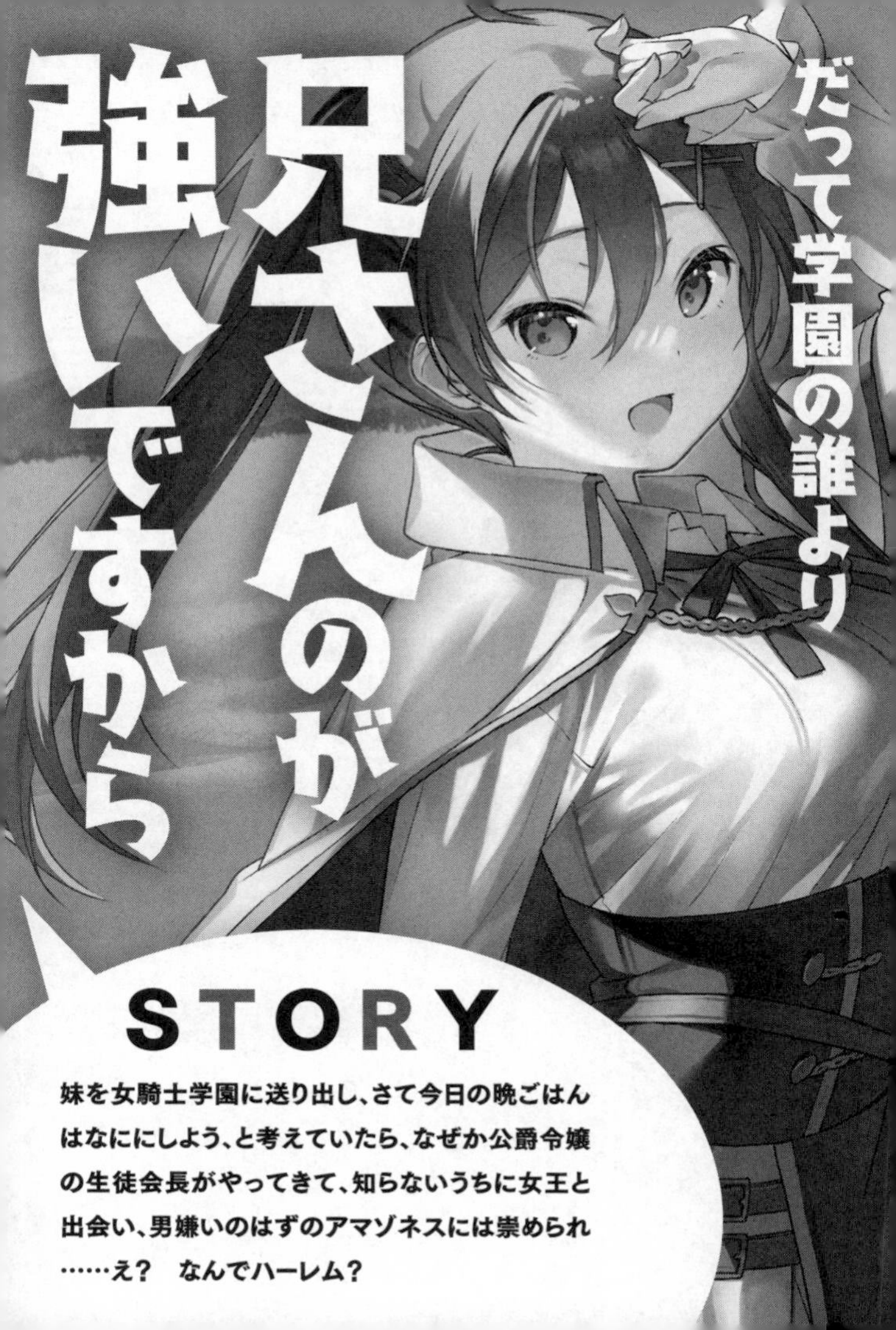
だって学園の誰より
兄さんのが
強いですから
STORY
妹を女騎士学園に送り出し、さて今日の晩ごはんはなににしよう、と考えていたら、なぜか公爵令嬢の生徒会長がやってきて、知らないうちに女王と出会い、男嫌いのはずのアマゾネスには崇められ……え？　なんでハーレム？